Sous la direction de Luc Phaneuf

Témoins au cœur du monde

NOVALIS

Témoins au cœur du monde est publié par Novalis.
Révision : Sylvie Marcoux, Lise Lachance
Éditique : Anne Côté, Caroline Gagnon, Francyne Petitclerc
Couverture : Caroline Gagnon
Photographies : couverture, EyeWire
p. 3, Frédéric Vachon; p. 12, Laurence Labat; p. 26, Martine Doyon; p. 56, Julie
Durocher; p. 68, Salex; p. 84, Christian Desjardins; p. 130, Photographex; p. 138,
Dorion; p. 190, Peter Cashin; p. 204, M. Robichaud; p. 218, Normandin

© Novalis, Université Saint-Paul, Ottawa, Canada, 2003
Dépôts légaux : 1er trimestre 2003
   Bibliothèque nationale du Canada
   Bibliothèque nationale du Québec
Nous reconnaissons l'aide financière du gouvernement du Canada par l'entremise
du Programme d'aide au développement de l'industrie de l'édition (PADIÉ) pour
nos activités d'édition.

Novalis, 4475, rue Frontenac, Montréal (Québec) H2H 2S2
C.P. 990, succursale Delorimier, Montréal (Québec) H2H 2T1
ISBN : 2-89507-362-7
Imprimé au Canada

Les citations bibliques sont tirées de la Bible TOB.
© Société biblique française et Éditions du Cerf, Paris, 1975 et 1988.
Avec l'autorisation de la Société biblique canadienne.

Catalogage avant publication de la Bibliothèque nationale du Canada

Vedette principale au titre :
   Témoins au cœur du monde
   ISBN : 2-89507-362-7

1. Témoignage (Christianisme). 2. Vie chrétienne. 3. Bible. N.T. Évangiles –
Actualisation. 4. Biographies chrétiennes – Québec (Province). I. Phaneuf, Luc,
1965-.

BV4520.T38 2003   248'.5   C2003-940467-6

NOVALIS

Présentation

L'action de la foi dans le monde est réelle, mais adaptée à sa vraie mission de sanctification. Elle agit dans la société… par mode de présence et d'animation […] Ce type d'influence, qui s'appelle témoignage, s'exerce par infusion de sens et rayonnement de vie. Pour l'exercer, il ne suffit pas de s'appeler chrétien, il faut l'être. Il ne faut pas se complaire à l'être, mais s'appliquer à le devenir davantage. Il ne suffit pas de proclamer l'Évangile comme le salut du monde; il faut le montrer vivant, et sauvant l'homme. Il faut avoir évangélisé ses pensées, son action, son cœur, ses attitudes, son comportement tout entier… Le témoignage est à la fois moyen de transmission de la révélation, et signe de l'authenticité de la parole transmise.

René Latourelle[1]

Le christianisme, religion agonisante?

L e christianisme a-t-il encore quelque chose à dire au monde? Contre les vents et marées du nouvel impérialisme séculier, des centaines de milliers de croyants et de croyantes, au Québec, et plus de deux milliards dans le monde, répondent « oui » à cette question fondamentale. Pour ces personnes, le Christ est encore « au cœur du monde »[2]. Voilà bien une espérance qui ne meurt pas.

---

1 R. LATOURELLE, *Le témoignage chrétien*, Montréal, Bellarmin, 1971, p. 7-8.

2 Qu'il nous soit ici permis de présenter celui qui a en quelque sorte inspiré ce livre, Hans Urs von BALTHASAR (1904-1988), prêtre et théologien suisse génial, qui a écrit en 1943 un petit livre de facture lyrique sur le mystère théologique de la personne du Christ et de sa mission rédemptrice, intitulé *Le cœur du monde* (publié en français chez DDB en 1956; l'édition de 1976 est préfacée par Henri de Lubac). Tout comme le cardinal Balthasar en son temps, nous avons voulu que ce livre collectif soit l'occasion pour un grand nombre de personnes de redécouvrir l'insondable beauté et la fécondité infinie de la personne du Verbe incarné.

Pourtant, chez nous, au Québec, on sent bien que, depuis la Révolution tranquille, le christianisme va de mal en pis. Les assistances aux célébrations dominicales ne cessent de diminuer et les communautés chrétiennes ne seraient plus constituées que de têtes blanches. Les jeunes jugeraient l'Église ennuyeuse et dépassée et la morale exigeante de l'Évangile ne s'accorderait pas avec l'esprit du temps. Voilà pourquoi plusieurs esprits bien-pensants affirment péremptoirement que cette religion, cette Église, aurait fait son temps.

Espérant envers et contre tout — quoique ni aveugle ni naïf —, nous nous inscrivons en faux contre ce type de jugement, lequel reflète, à notre avis, la pensée d'une minorité d'intellectuels — la plupart des *baby-boomers*, leaders d'opinion puissants des mass media et autres centres d'influences — inféodés aux courants de pensée mortifères et séculiers (anti-religieux) des dernières décennies. Nous estimons que ces intellectuels et leaders d'opinion sont embourbés dans les ornières d'un amalgame idéologique philosophico-religieux aux contours sombres dont voici quelques composantes : un relativisme philosophique qui nivèle tout, le vrai comme le faux; un subjectivisme délirant où le moi déifié devient la mesure de tout; une indifférence religieuse et morale à l'avenant (agnosticisme); un spiritualisme frelaté et superficiel charrié par le Nouvel Âge; un hédonisme impérial qui fait jouissance de tout... Et on pourrait encore en allonger la liste. Écoutons plutôt saint Paul aux prises avec la même réalité, en son temps : « Prenez garde qu'il ne se trouve quelqu'un pour vous réduire en esclavage par le vain leurre de la "philosophie", selon une tradition toute humaine, selon les éléments du monde, et non selon le Christ » (*Colossiens* 2, 8).

À notre avis, l'erreur fatale des penseurs de cette génération, portés par leur prétention à sortir d'une présumée Grande Noirceur cléricalo-politique (identifiée à Duplessis et aux dirigeants ecclé-siastiques de l'époque) et voulant « tout refaire sur de nouvelles bases », a été de rejeter Dieu de leur univers mental; de le bouter hors de leur vision... et de leur vie. Du coup, c'est toute l'ancienne conception judéo-chrétienne de l'être humain et de la vie, fondée sur l'Évangile et inspirée par lui, qui n'a plus eu droit de cité au Québec. En définitive, le Québec moderne s'est construit sur le rejet systématique et graduel de Dieu, phénomène que la théologie nomme apostasie. Collectivement, rejetant la force surnaturelle qu'est la grâce (donnée par les sacrements de l'Église), nous avons plutôt misé sur les forces séculières de l'État-Providence : la politique, l'économie et son dieu-argent. Nous avons oublié le ciel pour construire « ici et maintenant » la cité sans Dieu. Après quarante ans de ce régime, on peut affirmer sans risque d'erreur que le Québec a payé très chèrement cette apostasie au plan des âmes (désarrois, désespérances et suicides), lesquelles ont été de ce fait privées de la lumière, de la joie et de la paix que seul peut donner le Christ Jésus, vivant et ressuscité, lui qui a vaincu les « forces des ténèbres » (cf. *Jean* 16, 33).

Le christianisme : une idéologie parmi d'autres?

À notre avis, le christianisme serait chez nous si peu crédible parce qu'il aurait été réduit par ces mêmes élites au rang d'idéologie parmi d'autres, à un système composé de doctrines, de dogmes, de préceptes moraux — fondant l'ancien moralisme décrié jusqu'au haut-le-cœur — hérités de l'histoire ancienne, idéologie religieuse dont les fondements — l'événement historique et surnaturel « Jésus » — seraient irrecevables dans le contexte de rationalité scientifique qui est le nôtre.

Or cette perception du christianisme est doublement fausse. D'une part, nous renvoyons ceux qui opposent la foi et la raison — la modernité — aux sublimes développements de la lettre encyclique *Fides et Ratio* (1998) du pape Jean-Paul II. Cette « rationalité totalitaire » et à courte vue, qui servirait à discréditer le christianisme dans ses fondements mêmes, est elle-même... peu raisonnable[3]!

D'autre part, et plus important encore, notre livre collectif, selon son intention originelle, tentera de montrer — et non de démontrer — que le christianisme n'est pas d'abord un système — oui, aussi, mais secondairement. Il est avant tout une rencontre personnelle avec le Dieu vivant tel que révélé sur terre par Jésus Christ. Ainsi considérée,

---

3   Pour le thème foi et modernité, on pourra se référer en outre à la pensée de Paul Valadier, Claude Tresmontant, Gustave Marthelet et Philippe Gagnon.

la religion chrétienne est d'abord existentielle et expérientielle. Elle est la proposition d'une expérience à vivre, et d'un bonheur à saisir, avant d'être une adhésion de l'intelligence et du cœur — la foi — à des vérités surnaturelles, sublimes et profondes, qui dépassent le simple regard humain en vertu de leur nature divine : d'où leur révélation progressive par Dieu dans l'histoire aux êtres humains par le truchement de l'expérience singulière et fondatrice du peuple juif, dont Jésus sera à la fois l'héritier et l'accomplissement ultime!

Le vrai christianisme doit rayonner par ses témoins

On se souvient de la parole prophétique du pape Paul VI : « L'homme contemporain écoute plus volontiers les témoins que les maîtres, ou s'il écoute les maîtres, c'est parce qu'ils sont des témoins[4]. » Au fond, cette parole n'exprime-t-elle pas clairement que la crédibilité du christianisme se fonde, en quelque sorte, sur le témoignage de vie concrète que donneront les chrétiens et chrétiennes au monde moderne? Ceux-ci sont condamnés, pour ainsi dire, à être saints à la face du monde entier! Quelle vocation sublime et… impossible sans la force de Dieu[5]!

Ce qui doit être manifesté, rendu visible, c'est que les valeurs en or de l'Évangile livrent vraiment ce qu'elles promettent : le bonheur d'une vie pleinement réussie, pleinement humaine, une vie dont les œuvres rayonnent et interpellent de façon prophétique, selon la volonté de Jésus : « De même, que votre lumière brille aux yeux des hommes, pour qu'en voyant vos bonnes actions ils rendent gloire à votre Père qui est aux cieux » (*Matthieu* 5, 16). Cette lumière n'est pas accessoire, bien au contraire. Car, en définitive, le bonheur vécu

---

[4] PAUL VI, Exhortation apostolique *Evangelii nuntiandi*, n° 41, 1975.

[5] « La volonté de Dieu, c'est votre sanctification » (*1 Thessaloniciens* 4, 3). Paul évoque ici l'action de Dieu qui sanctifie, puisqu'il est source de toute sainteté. Cette action concerne tous les disciples du Christ : « Tous les fidèles du Christ, quel que soit leur état ou leur rang, sont appelés à la plénitude de la vie chrétienne et à la perfection de la charité. […] Les voies de la sainteté sont multiples et adaptées à la vocation de chacun et chacune » (JEAN-PAUL II, *Novo Millennio Ineunte*, n° 30, 6 janvier 2001).

par les témoins du Christ, ces vies transformées, converties, jusqu'à devenir incandescentes, souvent héroïques, ne sont-elles pas la preuve, la manifestation criante et prophétique de la crédibilité et de la fécondité toujours neuves du christianisme? Pour employer une image biblique, que vaudrait en effet une religion qui ne produirait pas de beaux fruits? Ne juge-t-on pas un arbre à ses fruits, comme Jésus nous enseigne à le faire (cf. *Matthieu* 7, 17)? A fortiori, une religion qui ne produirait pas de beaux fruits d'humanité pourrait dès lors être qualifiée d'opium, de chimère et même d'aliénation, comme c'est presque toujours le cas pour les sectes.

Or, tel n'est pas le christianisme bien compris et bien vécu. Depuis plus de 2000 ans, ses fruits exquis que sont les saints et les saintes, ces grands témoins, manifestent aux yeux de tous que l'arbre de la religion du Christ plonge ses racines au cœur du Dieu trinitaire, unique source de toute vraie et durable fécondité humaine et spirituelle! Car seul le Dieu Trine Père, Fils, Esprit peut diviniser la pâte tout humaine et pécheresse dont nous sommes tous constitués et la rendre à son image; les saints, toutes proportions gardées, sont des icônes de Dieu.

La rencontre du Christ : le début d'une vie tout autre!

L'Évangile nous apprend que le Christ ressuscité, après quelque temps passé auprès de ses amis, fut enlevé au ciel (cf. *Marc* 16, 19), leur promettant l'Esprit qui continuerait sur terre son œuvre (cf. *Jean* 16, 13; 20, 22) par le truchement de ses disciples. Or cet Esprit saint a tenu promesse : il a depuis le début de son temps, qui correspond au temps de l'Église, bouleversé la vie de centaines de millions de personne devenues croyantes au Dieu de Jésus. Or, cette rencontre éminemment personnelle et spirituelle avec lui a non seulement transformé leur vie, mais aussi par ricochet celle de leur famille, de leur village, parfois celle de leur pays, voire du monde entier! Que l'on pense aux grandes figures d'humanité et de sainteté qu'ont été, chacun et chacune en leur temps à titre de « don de Dieu à son peuple », les premiers Apôtres et martyrs, saint Augustin, saint Benoît et sainte Scholastique, saint Thomas d'Aquin, saint Dominique, saint François d'Assise et, plus près de nous, Marie (Guyart) de l'Incarnation à

Québec, saint Jean de Brébeuf et ses compagnons jésuites parmi les Hurons, Jeanne Mance et Paul Chomedey à Ville-Marie, le frère André, plus récemment mère Teresa, Jean Vanier, etc. La liste ne saurait être exhaustive. Toutes ces personnes ont en commun d'avoir connu dans leur vie un avant et un après. Cette coupure souvent radicale d'avec leur ancienne façon de penser et d'agir a coïncidé avec leur rencontre personnelle de Jésus Christ qui leur promettait, en échange de l'abandon de leur ancienne vie, « la vie en abondance[6] ». Leur seul et premier mérite est d'avoir eu l'audace, la confiance, la foi de répondre un oui résolu à l'appel du Fils : « Veux-tu être parfait?[7] ». Par amour, non par crainte, ils ont accepté de se convertir (« se retourner », en grec) et de suivre Jésus, en le laissant imprimer en chacun d'eux son image. Par amour aussi, ils conformèrent leur pensée et leur agir à ses exigences : « Si vous m'aimez, vous vous appliquerez à observer mes commandements » (*Jean* 14, 15). Ce faisant, ils ont trouvé un bonheur jusqu'alors insoupçonné, conçu et signé par Dieu lui-même qui a réservé à chacun et chacune un chemin unique, parfaitement adapté à sa personnalité, à sa mission. L'appel qui nous est lancé, aujourd'hui, est-il différent du leur?

« En Christ », une vie qui porte des fruits hallucinants!

Le baptisé a le devoir de transformer le monde pour le rendre plus digne du royaume de Dieu commencé en la personne de Jésus. Or, ce devoir est aussi une mission, une aventure enlevante mais aussi, par moments, sur-exigeante, parfois même surhumaine, gage de son authenticité divine! Peu importe les obstacles, les difficultés et les impuissances, le chrétien ne désespère jamais car il sait que ce n'est pas lui qui travaille, mais le Christ qui n'abandonne jamais ses missionnaires. Il est la garantie ultime de la fécondité humaine et spirituelle d'une vie consacrée à son service, c'est une promesse!

---

[6] « Moi, je suis venu pour que les hommes aient la vie et qu'ils l'aient en abondance » (*Jean* 10, 10).

[7] « Vous donc, vous serez parfaits comme votre Père céleste est parfait » (*Matthieu* 5, 48).

Ce qui glorifie mon Père, c'est que vous portiez du fruit en abondance et que vous soyez pour moi des disciples. […] Je vous dis cela pour que ma joie soit en vous et que votre joie soit parfaite. […] Ce n'est pas vous qui m'avez choisi, c'est moi qui vous ai choisis et institués pour que vous alliez, que vous portiez du fruit et que votre fruit demeure : si bien que tout ce que vous demanderez au Père en mon nom, il vous l'accordera (*Jean* 15, 8.11.16).

Le secret de la fécondité inouïe des saints? Le Christ et sa grâce qui outrepasse avec surabondance nos limites humaines. Aussi vrai que Dieu existe, la foi permet de vivre largement au-dessus de nos pauvres moyens. Ce que chaque vie de saint ou de sainte illustre magnifiquement et hors de tout doute. Les sceptiques pourraient être confondus… pourvu qu'ils le désirent!

La dynamique de cette fécondité? La force donnée par les sacrements du Christ — l'eucharistie surtout où il se donne tout entier, corps et âme —, laquelle permet à chacun de quitter peu à peu, jamais sans douleur, l'enfer-mement et la tyrannie du moi impérial, dieu de notre époque, et ce jusqu'à l'oubli de soi de plus en plus radical, ce « soi » égoïste qui empêche d'être heureux, jusqu'au don total, à l'image du Maître : « Nul n'a d'amour plus grand que celui qui se dessaisit de sa vie pour ceux qu'il aime » (*Jean* 15, 13). Seul le Christ peut opérer cette transformation intérieure, radicale, ordonnée à une charité toujours plus grande, laquelle est don de l'Esprit, voire sa substance même. C'est ainsi que « le vieil homme passe » pour laisser la place « au nouvel homme » (cf. *Romains* 6, 6; *Colossiens* 3, 10), regénéré par le Christ en son Église, la seule habilitée à distribuer parmi et pour les êtres humains le Christ vivant dans ses sacrements.

Ainsi, chaque vie de témoin authentique du Christ devient un lieu où Dieu se manifeste par des fruits spirituels qui sont sa signature : « Mais voici le fruit de l'Esprit : amour, joie, paix, patience, bonté, bienveillance, foi, douceur, maîtrise de soi » (*Galates* 5, 22-23).

La foi « continuée » : des témoins actuels

Ce livre donnera la parole à des croyants et des croyantes adultes dans leur foi, une foi pleinement assumée et actualisée. Bien qu'ils soient très différents les uns des autres, ces témoins forts et authentiques ont tous en commun d'avoir décidé, un jour, de construire leur vie main dans la main avec le Christ, qu'ils situent « au cœur de leur vie » et qu'ils ont reconnu comme « leur Seigneur et leur Dieu » (cf. *Jean* 20, 28) : laïcs et consacrés, hommes et femmes, pères et mères de famille, artistes, intellectuels, professionnels des médias ou du monde de la santé, éducateurs, contemplatifs, fondateurs d'œuvres[8]... Ces témoins ont accepté de témoigner à cœur ouvert afin que vous goûtiez vous aussi la joie et la plénitude qui les habitent[9], car par nature le bonheur, tout comme le feu de l'amour, cherche à se propager. Puissiez-vous trouver, à la lecture de ces pages, le secret du bonheur et de la fécondité véritables qui ne « passent pas » (cf. *Jean* 15, 16). Un bonheur qui porte un nom et dévoile un visage : Jésus de Nazareth, Christ du Dieu vivant ! Jésus, le cœur du monde, de notre vie présente et à venir[10].

Luc Phaneuf,
directeur du recueil
(lphaneuf@look.ca)

---

[8] Chacun des auteurs de ce livre parle en son nom propre et n'engage que sa personne et sa conscience. Le directeur du recueil, pour sa part, se veut en profonde communion de désir — doctrine et praxis — avec le Magistère catholique tel que guidé par le pape Jean-Paul II.

[9] « Que le Dieu de l'espérance vous comble de joie et de paix dans la foi, afin que vous débordiez d'espérance par la puissance de l'Esprit Saint » (*Romains* 15, 13).

[10] « Voici, je viens bientôt, et ma rétribution est avec moi, pour rendre à chacun selon son œuvre. Je suis l'Alpha et l'Oméga, le Premier et le Dernier, le commencement et la fin » (*Apocalypse* 22, 12-13).

Chrétien convaincu et engagé, **Robert Dutton** assure la direction de RONA inc. à titre de président et chef de la direction depuis 1992. Sous sa gouverne, RONA est devenue un chef de file au pays dans la vente de produits de quincaillerie et de matériaux de construction.

Robert Dutton est titulaire d'un baccalauréat en administration des affaires, option marketing-finances, de l'École des Hautes Études Commerciales (1977). Ces dernières années, il a reçu plusieurs grandes distinctions de la part de divers organismes, dont l'Université McGill. Il est aussi très actif au sein de divers mouvements et œuvres philanthropiques.

« Est-ce que je peux vous aider? »

C e n'est pas une question déplacée que je vous pose. Pour une personne comme moi, qui a grandi dans une quincaillerie et qui aujourd'hui dirige une grande entreprise de vente au détail, la phrase : « Est-ce que je peux vous aider? » fait partie du vocabulaire quotidien. Il est tout naturel d'offrir son aide à ceux et celles qui en ont besoin.

Mais dans le cadre de cet article, je ne veux pas vraiment vous offrir mon aide. Je n'ai pas cette prétention. Je veux plutôt vous « présenter » l'aide spirituelle qui m'a permis d'être l'homme que je suis. Celle qui m'a toujours servi de phare et grâce à laquelle j'ai développé des valeurs profondes qui guident mes choix, tant personnels que professionnels.

J'ai 47 ans et chaque fois que j'ai dû faire un choix important, à chaque carrefour de ma vie, j'ai rencontré Dieu, le Christ et l'Esprit saint. J'ai aussi rencontré par le fait même la foi, l'espérance et la charité. En toute humilité, je désire donc partager avec vous mon cheminement personnel à la rencontre de Dieu.

Première rencontre

J'avais quatre ans quand mes parents ont ouvert une petite quincaillerie RONA dans la région de Laval. Les allées de vis et de boulons, les rayons d'outillage et les comptoirs de peinture sont devenus le terrain de jeux de mon frère, ma sœur et moi.

Nous avons vécu une enfance heureuse, choyés par des parents généreux. Ils nous ont inculqué des valeurs fortes. Celles-ci ont inspiré mes engagements personnels et professionnels, mais aussi ma façon de vivre ma foi. Mes parents m'ont transmis trois valeurs essentielles :

- la joie d'être et d'aimer être au service des autres : par le travail, à l'exemple de ma mère, et par un engagement dans la communauté comme celui que vivait mon père;

- le sens du devoir : par la prise de responsabilités et le respect de mes obligations, avec le même courage que ma mère;

- l'importance de la famille : par l'importance donnée à l'unité et à la solidarité entre les personnes.

Je me considère privilégié d'avoir eu des parents comme les miens et j'en suis profondément reconnaissant.

Comme les autres jeunes de ma génération, je n'ai pas grandi dans un contexte social très religieux. C'était la période qui a suivi le concile Vatican II, avec tous les bouleversements que l'on connaît. Mes parents avaient une attitude que je pourrais qualifier de « modérée » face à la religion. Il faut préciser que mon père est issu d'un milieu aux racines religieuses protestantes. Contrairement à bien des Québécois et des Québécoises, il n'y avait pas dans ma famille de modèles de vie consacrée, pas de religieux, de religieuses ou de prêtres.

Je me suis rendu compte vers l'âge de seize ans que j'étais le seul de mon groupe d'amis à continuer de fréquenter l'église de ma paroisse. Pire, « j'aimais » la fréquenter et j'aimais prier. J'étais attiré par le sacré. J'avais sans cesse envie de partager des moments d'intimité avec Dieu, même brefs. J'avais besoin de sentir une présence supérieure.

J'ai alors vraiment pris conscience de l'existence de Dieu, un Dieu qui m'accompagne et porte son regard sur moi. Je me suis souvenu d'un passage du psaume 8 : « Mais qui suis-je pour que tu penses à moi? » Cela a entraîné chez l'adolescent que j'étais les interrogations suivantes : qui donc est Dieu pour nous aimer ainsi? S'il vient à ma rencontre, vais-je comprendre ce qu'il me veut?

À seize ans, on se questionne beaucoup sur son avenir, sur ce qu'il nous réserve. On a des rêves, des idéaux. On cherche sa mission, sa voie, ce que l'on appelait autrefois « sa vocation ». Je n'étais pas différent des autres garçons de mon âge, mais ma fascination pour la religion et la spiritualité dépassait largement celle de mes amis et collègues de classe. Et la Providence n'a placé personne sur mon chemin avec qui partager ce que je vivais.

Puisque je n'obtenais pas de réponse à mes interrogations, j'ai commencé à m'intéresser à la lecture de la Parole de Dieu afin de mieux le connaître et le comprendre. J'en suis arrivé à saisir que :

— Dieu m'a choisi, je suis son fils, son bien-aimé;
— il m'a aimé le premier, je le vois bien par les parents dont il m'a fait cadeau;
— il m'a béni en me donnant la foi;
— il existe en moi un sanctuaire où je peux le rencontrer à volonté; je ne serai plus jamais seul.

Grâce au silence, à la prière et à l'eucharistie, il est devenu mon refuge. J'ai acquis la certitude de l'existence de Dieu, le Père, qui nous a donné son Fils, mort et ressuscité pour nous. Voilà l'essentiel de ma foi.

Deuxième rencontre

Je me suis lancé dans les études, en plus de m'engager à fond dans les affaires de l'entreprise familiale. J'étais donc passablement occupé. À la fin de ma formation à l'École des Hautes Études Commerciales, j'ai analysé les possibilités qui s'offraient à moi. J'ai alors décidé d'assumer un rôle grandissant au sein de l'entreprise afin de me préparer à prendre un jour la relève de mes parents. À l'époque, j'étais réservé et timide. Je manquais de confiance en moi. C'est un handicap que j'ai réussi à surmonter par de grands efforts.

J'avais toujours dit à mes parents que je travaillerais dans leur quincaillerie, mais que jamais je n'irais travailler chez RONA, la grande entreprise. Les coopératives de cette nature ne m'intéressaient pas, malgré la fierté évidente de mon père d'en faire partie. Mais quelques semaines après la fin de mes études, un concours de circonstances m'a amené chez RONA. On m'a confié un mandat de deux ans à titre de conseiller chargé de mettre sur pied un service de marketing pour les marchands. Et j'ai eu le coup de foudre pour cette grande dame de la quincaillerie!

J'ai d'abord été séduit par le défi qu'offrait RONA. C'était une coopérative québécoise qui affichait une croissance soutenue. Elle se distinguait par le dynamisme extraordinaire de ses entrepreneurs. Ceux-ci exprimaient et expriment encore aujourd'hui leur volonté de bâtir et de voir grand. J'ai aussi été séduit par son équipe interne des plus attachantes. Grâce à elle, je retrouvais l'esprit de famille dans lequel j'avais grandi. Un an plus tard, j'étais nommé directeur des services de mise en marché. Trois ans plus tard, on me confiait le dossier de la publicité. Puis, à 28 ans, je devenais vice-président chargé du marketing et du développement.

À l'approche de la trentaine, j'ai décidé de faire un premier bilan. J'entrais dans une seconde étape importante de ma vie. À cet âge-là, on prend conscience du temps. On regarde en arrière et on mesure l'importance d'avoir des objectifs ou, du moins, des orientations de vie. Il en va de la réalisation des projets qui nous tiennent à cœur. Par conséquent, on définit mieux ses rêves.

J'ai profité d'un voyage dans l'Ouest canadien pour réfléchir sur ma vie. J'avais une carrière bien amorcée. J'étais célibataire et je n'avais toujours pas rencontré de femme avec qui je désirais fonder un foyer. J'ai alors pris conscience d'une chose très importante : je ne ressentais pas ce célibat comme une épreuve. Devant ce constat, je me suis senti prêt à élaborer un plan avec des objectifs, tant pour ma vie personnelle que pour ma vie professionnelle et spirituelle.

Pour ma vie personnelle, j'ai pris certaines résolutions :

- j'allais laisser à la Providence le soin de décider quant à mon célibat;
- j'allais privilégier une vie équilibrée, qui accorde une place de choix à ma famille, à mes amis et à ma santé physique et mentale;
- j'allais accentuer mon engagement social.

Pour ma vie professionnelle, je me suis inspiré de cette phrase d'Aristote : « On devient homme en se surpassant. » J'ai donc convenu que :

- j'étais toujours motivé à relever des défis, poussé par mon goût de servir les autres;

- je voulais diriger un jour les destinées de l'entreprise. J'avais ma vision et j'étais prêt à travailler fort pour que les marchands indépendants RONA puissent avoir la place qui leur revenait dans l'économie québécoise.

Pour ma vie spirituelle, j'ai décidé que Dieu devait avoir plus d'influence dans la détermination de mes objectifs, de mes dépassements. J'ai donc amorcé une réflexion sur mon éthique personnelle, mon code moral. Je me suis alors fixé trois règles pour encadrer ma vie et mon style de gestion :

- ne rien faire pour l'argent : ne pas le mettre au cœur de mes objectifs de vie, le respecter sans l'idolâtrer;

- être très prudent avec le pouvoir : être conscient que le pouvoir est une drogue qui engendre des illusions et éloigne de la réalité, des vrais valeurs;

- ne jamais chercher la reconnaissance publique : ce que je fais, je le fais pour Dieu, pour personne d'autre. Je veux servir en m'inspirant du Christ qui ne s'est pas prévalu du rang qui lui permettait d'être traité à l'égal de Dieu. Il s'est fait homme pour devenir un serviteur (cf. *Philippiens* 2, 6-11).

J'ai commencé à réfléchir sur les façons de faire grandir ma foi. De nouveau, je me suis demandé ce que Dieu pouvait bien attendre de moi. La fameuse question : « Est-ce que je peux vous aider? » a refait surface. Aider le Christ, le servir, c'est d'abord, comme le proclame l'évangéliste Matthieu, s'occuper des démunis, des pauvres, des prisonniers, à l'exemple de mes modèles de l'époque : Jean Vanier, mère Teresa...

J'étais aux prises avec un grand dilemme. D'un côté, je n'étais pas prêt à abandonner tous mes objectifs professionnels, j'avais trop à faire dans le monde. De l'autre, je voulais nourrir ma vie spirituelle. Je me suis d'abord tourné vers une pratique plus fréquente de l'eucharistie et de la réconciliation. Je me suis ensuite discipliné afin d'accorder plus de temps chaque jour à la prière, à la lecture et à la méditation de l'Évangile. J'ai apprivoisé peu à peu le silence de celui qui écoute et la solitude. La prière est venue tout naturellement se nicher au cœur de ma vie spirituelle. Comme l'affirmait si bien le théologien Henri Nouwen : « Prier, c'est penser et vivre en présence de Dieu. Ainsi, on prie tout le temps, c'est ma façon de prier. »

Depuis cette époque, la prière occupe une place fondamentale dans ma vie. Sans elle, mon existence ne serait qu'une suite d'événements insignifiants, de paroles gratuites, de rencontres inutiles. J'éprouve le besoin viscéral de partager quotidiennement avec Dieu ce que je vis et ce que je ressens, ce qui m'attriste ou me réjouit, ce qui m'enchante ou me révolte. Je lui fais également part des décisions que je dois prendre afin qu'il m'éclaire. Ce n'est pas une prière profonde. Elle est plutôt remplie d'agitation, de confusion et de distractions. Ces moments m'aident toutefois à retrouver ma liberté. Ils me calment, m'oxygènent et, surtout, me prouvent que je suis aimé.

Au moment de la remise en question de mes trente ans, ma vie spirituelle était bien limitée. Je ne l'avais pas encore complètement intégrée à ma vie. Elle en constituait une part importante, certes, mais elle n'était pas encore le ciment qui soude l'ensemble. Mais j'avais l'espoir que Dieu me ferait découvrir le plus grand dépassement auquel il m'appelait. C'était une période fondée sur l'espérance.

Troisième rencontre

J'ai pris la direction du groupe RONA à l'âge de 35 ans. L'organisation était alors bien fragile et le contexte économique ne nous était guère favorable. Nous avions de grands défis à relever :

– des problèmes graves en ce qui a trait aux relations de travail;

– une situation financière délicate;

– des membres dont le sentiment d'appartenance s'effritait.

Des décisions difficiles et draconiennes devaient être prises rapidement. Heureusement, pour mener à bien cette tâche, je pouvais miser sur deux grandes forces :

– un groupe de femmes et d'hommes qui partageaient la même vision, les mêmes valeurs, et qui avaient à cœur le même défi;

– ma foi et ma confiance en la Providence.

Notre premier objectif était de régler le problème des relations de travail dû, en grande partie, à une mauvaise communication et à un problème de gestion. Nous voulions donner un vigoureux coup de barre et effectuer les changements qui s'imposaient, de concert avec l'ensemble du personnel. Pour y parvenir, nous devions apprendre à connaître nos gens. Il fallait :

– rétablir la communication avec eux;

– mériter leur collaboration et leur confiance;

– leur expliquer le projet de l'entreprise, les encourager à y participer et leur montrer les bénéfices qu'ils en retireraient.

Avec l'équipe de direction, j'ai alors décidé d'assouplir les structures et les pratiques de gestion. Nous avons mis en place une série d'outils de dialogue à l'échelle de l'entreprise. Chaque jour, il fallait prendre du temps pour écouter les employés et leur parler. Il était important pour nous de ne pas cacher les objectifs poursuivis, de ne pas jouer sur les mots, d'éviter les grands discours et les énoncés de principes vides de sens. Bref, il était important d'être transparents.

Les valeurs transmises par mes parents et la prière m'ont grandement inspiré dans la réalisation de la première étape de mon plan de relance. Pour moi, l'important était de servir, d'être responsable et de susciter l'unité grâce à la foi et l'espérance. Je m'estimais alors incapable de mener à bien cette tâche seul. Je m'en suis donc remis à Dieu. Avec lui et pour lui, je pouvais réaliser cette mission.

Ce cheminement m'a permis d'établir mon premier principe de gestion : chaque personne avec qui et pour qui je travaille est un enfant de Dieu, au-delà de toutes les différences. Je peux le reconnaître en chacune d'elles.

Après quelques mois, je connaissais mes employés. Eux aussi avaient appris à me connaître, nous pouvions nous appeler par nos noms. Chaque personne dans l'entreprise était maintenant connue par son nom. C'est la volonté du Père que chacun et chacune soit reconnu dans sa dignité humaine.

Un an environ après mon accession à la présidence de RONA, la moitié des employés syndiqués déclenche une grève illégale. L'autre moitié choisit d'accorder sa confiance à la direction et de demeurer dans l'entreprise. Après cette grève difficile, les choses ont changé. Les employés les plus récalcitrants sont partis. Nous leur avons offert des conditions de départ justes. D'autres employés ont été sanctionnés, notamment par la suppression de leur ancienneté. Tous ceux et celles qui ont décidé de rester — y compris ceux qui n'avaient pas participé à la grève — nous ont offert leur engagement quasi inconditionnel pour relever l'entreprise.

L'ordre était revenu, mais ce n'était pas *business as usual* pour autant, comme on le dit en anglais. Nous avons donc décidé d'intensifier notre écoute et nous avons appris que nous n'étions pas sans reproches. C'est à cette époque que nous avons implanté nos petits-déjeuners rencontres, qui ont maintenant lieu depuis plus de dix ans. Au cours de ces rencontres, nous invitons nos employés à soumettre leurs suggestions et leurs commentaires pour améliorer nos activités. Nous analysons et répertorions ces suggestions et nous mettons en application celles qui semblent efficaces.

Dès les premiers résultats obtenus, nous avons partagé une partie des bénéfices avec nos employés. Durant cette période, nous avons mené beaucoup d'autres plans d'action, accompli bien d'autres gestes à tous les niveaux de l'entreprise. Nous avons aussi commis quelques erreurs… Mais globalement, je suis fier des retombées de nos mesures de redressement. Quatre ans plus tard, l'entreprise était devenue la plus performante du monde dans son secteur. Notre situation financière était enviable et nous pouvions envisager avec confiance les défis que l'avenir apporterait aux 375 familles détentrices de magasins RONA.

Durant ces années, le travail a pris toute la place dans ma vie, qui n'était pas très équilibrée. Sur le plan personnel, il ne se passait pas grand-chose, mais sur le plan spirituel, c'était tout le contraire. J'accordais toujours une importance vitale à la prière. Elle me mettait en contact avec la sagesse divine. Je suis allé à la rencontre du Christ. Je désirais le connaître afin d'agir selon son inspiration et de mieux le servir. Je voulais que toutes les décisions que nous prenions soient empreintes de sa justice et qu'elles créent l'unité autour de nous.

Durant cette période, j'ai été particulièrement confronté à mes limites et à mes peurs, celles qui m'empêchaient de grandir dans la charité. À l'approche de la quarantaine, il était temps pour moi de dresser un nouveau bilan.

Je me suis retrouvé dans une drôle de position : j'avais réalisé tous mes rêves, tant personnels que professionnels. Quand cela arrive à d'autres personnes, habituellement, elles se tournent vers la politique... Mais moi, je n'avais pas envie d'emprunter cette voie.

Comme je voulais continuer à me dépasser, j'ai cherché de nouveaux défis. J'avais toujours la volonté d'être au service des autres, et plus particulièrement des personnes les plus vulnérables. J'avais toujours en tête cet extrait de l'*Évangile selon saint Matthieu* : « Le royaume de Dieu appartient à ceux qui ont partagé avec le pauvre, le malade, le prisonnier, l'assoiffé... » Mais dans le monde des affaires, je ne voyais pas de pauvres, de malades, de prisonniers.

Je brûlais de poursuivre ma recherche d'une vie spirituelle plus intense. Je me questionnais sur les moyens d'y parvenir et j'espérais atteindre un dépassement aussi significatif que celui que je vivais dans ma vie professionnelle. Tout ce que je savais sur Dieu, je l'avais appris à l'école primaire, ou seul, par la lecture de la Parole, ou par l'entremise de mon travail, au quotidien, à travers les personnes et les événements. Jusqu'à ce jour, ma vie spirituelle avait été une expérience personnelle, que je n'avais pas partagée avec les autres. J'ai alors senti le besoin de me rapprocher de l'Église. Je me suis départi de biens matériels qui pouvaient constituer une entrave à ce rapprochement. J'ai vendu ma maison, changé d'automobile et je me suis donné un plan de partage avec les autres. Ce n'était pas du misérabilisme, mais une manière de me libérer d'attaches aux biens matériels et de garantir ma liberté.

Pour la première fois de ma vie, je décidais de partager ma vie spirituelle avec d'autres. Je voulais rencontrer des gens avec qui je pourrais cheminer et qui m'aideraient à discerner ce que je pouvais offrir de plus, à Dieu et à mon prochain. La Providence m'a mené chez les Sulpiciens qui sont probablement des champions du discernement. J'y ai rencontré des hommes à l'écoute, patients, et qui ne portaient pas de jugements. Je leur ai confié mon rêve : servir Dieu, comme bon lui semblerait. Nos discussions m'ont aidé à prendre conscience que j'avais des intuitions à vérifier. Je ne voulais rien refuser à Dieu, je voulais aller jusqu'au bout. Grâce au soutien du président du conseil d'administration de RONA, ses membres m'ont accordé un congé sabbatique de six mois pour me permettre de faire le point sur ma vie et de prendre les décisions qui s'imposaient.

Les Sulpiciens m'ont accueilli à bras ouverts. Au cœur de leur « cité », j'ai découvert un endroit où je pouvais profiter d'un peu de silence et de solitude et approfondir mes connaissances théologiques. Mais surtout, j'avais la liberté et le temps de réfléchir à la volonté de Dieu, à mes responsabilités de chrétien, aux phénomènes qui influencent la vie personnelle, à la conduite des entreprises, aux grands enjeux de notre société : l'environnement, la dignité des femmes, la mondialisation, etc. Lorsqu'elle est considérée de façon purement économique, la mondialisation est perçue — à tort ou à raison — comme étant l'emprise du monde du commerce et de la finance sur le développement démocratique, humain et social de la planète. Mais si on la considère avec les yeux de la foi, la mondialisation peut être l'occasion de nous rapprocher les uns des autres. Elle peut favoriser l'apprentissage, la communication, le partage et nous permettre d'intervenir auprès des personnes les plus démunies.

Au cours de ma réflexion spirituelle, je me suis rendu compte que Dieu m'avait confié de grandes responsabilités à l'égard de plusieurs personnes. J'ai compris que c'est en assumant mon rôle de chef d'entreprise chez RONA — au meilleur de mes capacités et inspiré par les enseignements du Christ — que je répondais à la volonté divine pour moi. Je devais donc reprendre mon travail, même si cela était exigeant physiquement, psychologiquement et spirituellement. Je devais aussi continuer à m'engager dans les organismes humanitaires que je soutenais depuis déjà quelques années. En somme, il me fallait renouer avec mon rôle de citoyen laïc, appelé à témoigner de la présence de Dieu dans le monde. J'ai alors conçu un plan d'action :

1– j'allais reprendre le collier pour défendre à la fois mes principes personnels et les valeurs évangéliques. Je voulais également actualiser l'esprit coopératif dans le contexte de la mondialisation;

2– j'allais mettre à l'avant-plan certaines valeurs d'entreprise comme :

le respect de la dignité humaine

– par la création d'emplois dont les conditions de travail respectent cette dignité. La création d'emplois est encore le meilleur moyen de combattre la pauvreté et d'œuvrer auprès des personnes démunies;

– par l'investissement dans le développement du potentiel des personnes à notre emploi.

la recherche continuelle du bien commun

– par l'élargissement des principes de base du coopératisme dans les rapports entre nos marchands, nos actionnaires, nos employés, nos clients, nos partenaires...

la nécessité de faire fructifier la richesse pour la partager, sans la gaspiller

– avec nos marchands-membres, avec nos employés, avec les personnes les plus démunies de la société.

Bref, j'allais aider les membres de la famille RONA à rechercher le bien commun en toute dignité et avec un esprit de partage.

Notre regroupement compte 375 familles qui mettent en commun leur expertise en vente et en gestion, leur pouvoir d'achat et leurs talents. Permettre à un magasin RONA de prospérer, c'est permettre à une famille de grandir pendant des générations et de solidifier les liens qui unissent chacun de ses membres. C'est aussi permettre à d'autres jeunes que moi de connaître les joies de travailler en famille.

La solidarité est une valeur primordiale de notre regroupement. Mais nos marchands peuvent aussi la promouvoir dans leur communauté, par le maillage économique et l'engagement social. La solidarité et l'unité sont des vertus essentielles pour humaniser la mondialisation qui, laissée à elle-même, menacerait la dignité de la personne.

Quatre ans après mon retour à la présidence de RONA, le portrait de l'entreprise a passablement changé. Collectivement, nous avons notamment :

- créé plus de 2500 emplois directs et indirects;
- accordé la priorité à l'apprentissage et à la formation pour que notre personnel puisse s'adapter à la nouvelle économie;
- adopté un plan de croissance et de développement qui permet une redistribution juste de la richesse au sein de l'entreprise et dans les magasins;
- mis sur pied un programme de participation des marchands au développement de l'entreprise;
- institué la fondation RONA pour aider les jeunes en difficulté.

En somme, nous avons su humaniser une entité corporative qui aurait bien pu, à l'instar de tant d'autres entreprises, être froide et sans âme. Nous avons gagné le pari de faire de RONA un endroit où il fait bon travailler et qui se bâtit au quotidien à même la fierté de ses membres et de son personnel.

J'aimerais partager avec vous les deux expériences de pardon qui ont marqué l'entreprise en 1998 et 1999, et qui illustrent bien notre préoccupation de la dignité des personnes. La première s'est produite lorsque le conseil d'administration a répondu à la demande d'un marchand qui désirait revenir dans le giron de l'organisation. Ce dernier l'avait quittée cinq ans auparavant. En dépit de l'amertume qui s'était installée et des circonstances de cette rupture, les membres du conseil ont conclu que la solidarité devait primer toute chose. Ils ont donc accepté le retour de ce marchand.

La deuxième expérience de pardon concerne les employés du centre de distribution qui avaient participé à la grève illégale. Sept ans plus tard, ces 60 employés ont demandé par écrit à la direction de RONA de leur accorder un pardon, c'est-à-dire de les réintégrer dans tous leurs droits perdus à la suite de la grève, y compris l'ancienneté. Pour ce faire, il fallait l'accord des non-grévistes, aussi nombreux que les grévistes. Cet accord n'était pas acquis, loin de là. Malgré l'opposition de nos spécialistes en relations de travail, nous avons entrepris un exercice de réflexion collective sur le pardon. Cette réflexion portait non seulement sur le sens immédiat du pardon mais aussi sur son sens philosophique et son sens spirituel. La démarche a duré neuf mois. Je crois qu'elle a permis une réflexion empreinte d'authenticité parce que fondée sur le respect de la dignité de chacun et de chacune. Au terme de cette démarche, en octobre 1999, 86 % des employés acceptaient de restaurer l'ancienneté de leurs collègues de travail.

Conclusion

Selon Saint-Exupéry, unir les personnes est le plus beau métier du monde. Je me considère choyé, c'est le métier que j'exerce.

La croissance de ma vie spirituelle repose maintenant sur cet art de vivre qui consiste à mener une vie équilibrée. Je me suis rendu compte de l'importance d'avoir non seulement des plans de vie personnelle ou professionnelle mais aussi un plan de vie spirituelle qui transcende mon existence. Sans ce plan, tout ce que je vis, dis, donne, fais, partage ne servira qu'à soulever de la poussière. Chaque jour, j'essaie de me rappeler que, en communion avec le Christ et par l'Esprit saint, je suis ici pour servir humblement mes frères et mes sœurs. Cela, avec le même amour que j'ai pour Dieu et, surtout, que lui a pour moi. J'essaie aussi de me rappeler que lorsque je me présenterai devant lui, les bras tendus, je saurai que ma plus grande gloire aura été d'être son enfant.

Benoit Lacroix est né en 1915, à St-Michel-de-Bellechasse. Il poursuit de longues et vastes études universitaires à Ottawa, Toronto, Paris et Harvard qui, en plus de le faire dominicain, le mènent au doctorat en sciences médiévales. Théologien et historien, il enseigne dans plusieurs universités : Montréal, Laval (Québec), Kyoto (Japon), Butare (Rwanda), Caen (France). Il est aussi un chercheur et un écrivain prolifique, auteur de plus de quinze monographies, dont le best-seller *La foi de ma mère* (Bellarmin, 1999) et *Alzheimer et spiritualité* (Fides, 2000), ainsi que de nombreux articles qui étudient les liens entre le peuple d'ici et ses ancêtres médiévaux.

Le père Lacroix est membre de l'Académie des sciences morales et politiques du Québec, de la Société Royale du Canada, Officier de l'Ordre du Canada, Grand Officier de l'Ordre national du Québec, titulaire du prix Léon-Gérin, docteur *honoris causa* de l'Université de Sherbrooke. Il est un habitué des médias électroniques où l'on ne compte plus ses interventions.

Mes rencontres avec le Christ

Faites d'ombres et de clartés, mes rencontres avec le Christ abondent en rendez-vous réussis, en rendez-vous manqués. À travers toutes ces démarches se sont glissés un certain nombre de raisonnements, quelques intuitions sur la vie consacrée et le goût du rituel. Fidèles et persistantes, ses invitations m'étonnent autant qu'elles me stimulent.

1915-1927

Dans la mesure où je me souviens, le premier rendez-vous personnel que j'ai avec Lui a lieu à Noël en l'église Saint-Michel de Bellechasse. Après la messe de minuit, chacun et chacune va saluer le p'tit Jésus à la crèche. Aussitôt arrivé et à cause du silence de rigueur à l'époque dans les églises, ma mère me dit : « Pas un mot, Joachim, il dort ! » J'avais cinq ans. Je le laisserai dormir... jusqu'à mes onze ans.

À l'école, à l'église, à la maison, j'entends dire que Jésus est mort, « mort à cause de nos péchés ». Mort en croix. Des croix, il y en a partout : à l'église, au cimetière, à la maison, à la grange, au carrefour des routes. Pour comble, je m'appelle Lacroix ! Sans méchanceté bien sûr, je traiterai Jésus en frère silencieux, invisible, lointain, « caché au tabernacle ». À la messe, au moment de la consécration, alors que le prêtre élève l'hostie « qui le montre », nous nous inclinons sans même voir le signe qui le désigne à notre attention.

1927-1936

Pensionnaire au collège Sainte-Anne-de-la-Pocatière, j'entends dire que Jésus est un enfant obéissant et qu'il est profondément soumis en tout à ses parents. « Faites de même les jeunes, et vous irez loin. » J'ai quinze ans quand les prêtres abordent discrètement, il faut en convenir, la question de la vocation. Que serai-je plus tard? Le plus souhaitable demeure à l'époque la vocation sacerdotale. Tous nos professeurs sont prêtres et d'une grande qualité morale et intellectuelle. Une parole d'évangile souvent citée par les prédicateurs de retraite de vocation me harcèle l'esprit : « Jésus leur dit : Suivez-moi! Et aussitôt, ils le suivirent. » *Aussitôt*, c'est bien vite dit pour un garçon surtout épris de sport et de joyeuses camaraderies.

Le 26 juillet 1935, je quitte la maison familiale, la petite amie du coin et, « aussitôt », à bord du p'tit train, je me dirige vers le noviciat des Dominicains, sur la rue Girouard Ouest, à Saint-Hyacinthe. Jésus! Je le trouve bien exigeant en même temps que je me sens trop « étranger » pour m'expliquer le geste que je viens de poser en son nom. *Dire que toi, pendant tout ce temps-là, tu te rapprochais de moi sans que j'en sois vraiment conscient.*

1937-1940

Au collège universitaire des Dominicains à Ottawa, la philosophie et la théologie règnent. Des professeurs de haut savoir m'enseignent et commentent avec un art consommé ces « vérités premières » que le *Petit catéchisme de Québec* m'avait déjà dictées. Comme si cela allait de soi! À coup de citations dogmatiques et de décisions conciliaires, en latin s'il vous plaît, j'intègre peu à peu ce que je devrais croire... et savoir pour devenir un vrai frère prêcheur :

Jésus Christ, né de la Vierge Marie, est le fils naturel de Dieu, la seconde personne dans la Trinité, Dieu, au sens véritable et propre du salut... Le Christ est une seule personne et une seule personne divine en deux natures... Les deux natures persistent même après l'union hypostatique sans mélange et sans changement... Dans le Christ, il y a deux volontés et deux modes d'action naturels, sans partage et sans mélange... Le Christ doit être adoré même dans sa nature humaine, à cause de son union avec le *logos*... Le Christ, l'homme Dieu, est roi au sens éminent... Marie conçut et enfanta son fils sans dommage pour sa virginité et resta également vierge après son enfantement.

Ouf! Comprenons que le petit garçon du troisième rang de Saint-Michel, peu habitué à la réflexion intensive, a été pris au dépourvu. Comment communiquer avec un être habillé d'aussi grands mots, si différents de ceux de tous les jours? J'avais de la bonne volonté. J'apprenais à étudier, je priais. Je cherchais une voie, un chemin, pour mieux vivre mon appel à la vie consacrée. « Se mettre en présence de Dieu »? C'était la formule entendue souvent au collège de la Pocatière. Dès lors, je décidai de pratiquer la présence de Dieu et d'entrer en contact suivi avec mon Créateur, Dieu maître des temps et de l'espace. Ce fut relativement facile. Les souvenirs tout chauds de mon enfance sur la terre à proximité de la forêt, les images inoubliables des splendides paysages de la Côte-du-Sud, la route du fleuve, l'île d'Orléans, les Laurentides, la silhouette du mont Sainte-Anne, tout m'invite désormais à remercier Dieu, à le féliciter, à le prier : « Tu es mon Dieu, je te cherche dès l'aurore... Et quand je vois tes cieux, œuvre de tes doigts, la lune et les étoiles que tu fixas... les oiseaux du ciel, les poissons de la mer... Que ton nom est magnifique par toute la terre » (*Psaume 8*).

Au moment où je psalmodie à Ottawa les plus belles prières cosmiques qui soient, *Le crédo du paysan* que mon père chantait — et si bien! — me revient en mémoire :

> L'immensité, les cieux, les monts, la plaine,
> L'astre du jour qui répand sa chaleur,
> Les sapins verts dont la montagne est pleine
> Sont ton ouvrage, ô divin Créateur [...]
> Je crois en ta grandeur, je crois en ta bonté.

L'office choral des frères dominicains, magnifiquement orchestré, et la majesté du grégorien deviennent vite le support liturgique qui me met en présence de Dieu. En même temps que la satisfaction du devoir accompli, j'éprouve la certitude que je suis fidèle à l'appel. Le 4 août 1940, avec la volonté d'être toujours présent au Seigneur, je promets obéissance à Dieu... jusqu'à la mort.

Entre-temps, je suis plongé dans la lecture des livres de Dom Marmion (†1993). *Le Christ, idéal du moine* (1922) et *Le Christ, vie de l'âme* (1926) m'enchantent. Théoriquement, je veux dire. *Qui étais-tu pour que je ne cesse d'être attiré vers toi! Toi seul pourrais me répondre convenablement. Je me sens gauche pour l'écrire aujourd'hui, mais je crois qu'à ce moment-là et depuis un bon bout de temps, tu étais à mes trousses sans que je m'en rende bien compte.*

1940-1950

Au collège d'Ottawa, je prépare mon dernier examen de christologie. Comme par hasard, je tombe sur un livre intitulé *Introduction à la sainteté*[11]. Une « introduction »? C'est sûrement le plus que je puisse me permettre! En outre, ce livre possède, pour moi du moins, l'autorité d'avoir été écrit par un père dominicain de Paris. Il est sous-titré d'une manière qui m'intimide : *De la renaissance spirituelle. Vie ascétique. Vie active. Vie unitive.* L'alerte est donnée. En lisant l'*Introduction à la sainteté* du père Henri Petitot, je constate qu'il s'inspire de sœur Thérèse de l'Enfant-Jésus dont j'ai quelque peu entendu parler. Thérèse Martin, de son nom de jeune fille, est née en 1873. Elle entre au Carmel en 1888, à l'âge de quinze ans. Elle meurt à vingt-quatre ans. Mon âge! En plus, elle est contemporaine de mes parents nés tous les deux au début des années 1880. Mieux, je découvre que le même Henri Petitot avait publié, en 1925, année de la canonisation de Thérèse, le livre *Sainte Thérèse de l'Enfant-Jésus : une renaissance spirituelle.* Il est à la bibliothèque du *Studendat* à Ottawa, dans une seconde édition qui a pour titre : *Vie intégrale de sainte Thérèse de Lisieux.* La lecture de ce livre me procurera une sorte de choc intérieur difficile à évaluer, même aujourd'hui. Thérèse de l'Enfant-Jésus devient ma sœur spirituelle, la confidente secrète de mon âme, ma référence dans les moments plus difficiles.

Je l'aime, cette grande amoureuse du Seigneur, qui parle personnellement au Christ, l'apostrophe au besoin, s'angoisse avec lui et meurt en murmurant le mot le plus important de toutes les

---

[11] H. PETITOT, Paris, Cerf, 1934.

cultures : « amour »! Je l'aime aussi parce qu'elle aime la nature, les fleurs, la mer. Par-dessus tout, elle préfère le Christ et, à cause de lui, elle fait un clin d'œil plus que favorable à l'Église. Sa spiritualité m'apparaît accessible, en ce sens que cette jeune femme mise coûte que coûte sur la confiance et sur la miséricorde. Je lis et relis *L'histoire d'une âme*. Il est donc bénéfique de parler au Christ, de le connaître et d'en faire un compagnon de route, sans pour autant tomber dans l'illusion et oublier ceux et celles que l'on doit aimer de tout son cœur, de toute son âme, de toutes ses forces.

Durant la dernière guerre mondiale, en 1941, je quitte le *Studendat* des Dominicains à Ottawa pour Toronto, où je me lance littéralement dans des études spécialisées. Je quitte l'orbite des études théologiques pour entrer dans celle du Moyen Âge latin, ce qui m'entraîne à l'observation de la foi populaire médiévale et, pour les besoins de la cause, de la foi d'aujourd'hui.

En 1944-1945, au moment où je suis en crise... de rédaction de thèse sur un manuscrit inédit du XIIIᵉ siècle, je publie à la dérobée, sous le pseudonyme de Michel de La Durantaye, *Sainte Thérèse de Lisieux et l'histoire de son âme*[12]. Un livre de débutant. Pas très réussi.

1950...

Je quitte le Canada pour l'Europe. Mon rêve! Je suis fasciné par l'univers religieux médiéval. Inoubliables cathédrales! Inoubliable Chartres! En même temps, j'éprouve une certaine nostalgie en visitant les petites églises romanes et je cherche de plus en plus à identifier le visage humain de Jésus en courant les musées. Mes préférences? Peut-être pour les *Christ* de Ravenne, pour Giotto, Raphaël, Titien, Fra Angelico, El Greco, surtout Rembrandt et Rouault, plus tard Chagall... Je relis les évangiles. Que je me sens loin, trop loin de Jésus! Et petit, et fragile, et gauche. *Mais tu viendras une fois de plus à mon secours. Tu sauras me rejoindre à ta manière, ingénieuse et efficace.*

---

[12] Montréal, Éditions du Lévrier, 1947, 155 p.

En Europe, je visite plusieurs oratoires des Petites sœurs de Jésus, dites « les Petites sœurs du père de Foucauld ». Partout, la même simplicité, le même dépouillement, le même espace privilégié accordé au livre de la Parole, le même respect de la présence eucharistique au tabernacle. C'est Nazareth à ma porte! Le Christ n'est pas que le petit Jésus à la crèche, que l'enfant modèle. Il n'est pas toujours mort en croix pour nos péchés, il n'est pas que le grand prophète des nations, le roi des siècles ou le *pancreator*. Il n'est pas seulement le Fils de Dieu à propos duquel je dissèque certains écrits du Moyen Âge latin. Il n'est pas seulement l'être des grands exploits du langage dogmatique de mes études universitaires... Je perçois qu'il peut être aussi le plus accessible, le plus simple des amis. Je note avec satisfaction que les Petites sœurs sont un peu les filles spirituelles de Thérèse de l'Enfant-Jésus cachée au Carmel, sauf qu'elles vivent au milieu du monde des pauvres.

Autant mes rapports avec le Christ étaient, je le répète, enfantins, scolaires, théoriques, intellectuels, autant je me sens entraîné par divers cheminements, souvent imprévus, à rencontrer celui qui a foulé les routes de la Galilée et de la Judée, le Christ humain. *Prêtre dans la quarantaine, prêtre de plus en plus instruit, comment ai-je pu prier et dire tant de mots sacrés en te tenant à distance de mon cœur? Suis-je l'ouvrier de la onzième heure?*

En 1953, j'ai fait le pèlerinage de Chartres avec des étudiants de divers pays. Trois jours, de Rambouillet à la célèbre cathédrale. Les jeunes devenaient mes maîtres, ils m'instruisaient à leur manière. Par la suite, nous nous sommes retrouvés à Assise, à Rome, voire au Proche-Orient, à Jérusalem, à Bethléem, à Nazareth. À Nazareth, moi qui aimais tant les terres meubles de Bellechasse, le pays jamais oublié de mon enfance, je marchais maintenant sur une terre pauvre, humiliée et brûlée par le soleil. Une terre déchirée par des conflits multi-séculaires. Était-ce vraiment la patrie du Fils de Dieu consubstantiel au Père? Était-ce bien ici le pays de Jésus? Le Christ m'est soudain apparu bien ordinaire et j'en ai conclu que je devais encore lire les évangiles. *Cette fois, je surveille et médite les événements les plus quotidiens de ta vie. Je te rencontre et je t'admire. J'apprécie hautement que tu aimes la nature, les fleurs, l'herbe des champs, les oiseaux, la lumière, le soleil qui éclaire les bons en même temps que les méchants. Je te revois avec ta mère qui sort de la maison pour aller au marché... Et plus tard, malmené par l'opinion publique, tu continues ta route, fidèle à ton karma. Tu es celui dont on dit quelquefois qu'il a perdu la tête, celui qu'on accuse de manger trop, de se tenir avec les pêcheurs, de « comprendre » les prostituées, de tenir la loi à distance, de ne pas observer le sabbat. Mais tu ne te laisses pas abattre par les qu'en-dira-t-on. Il t'arrive à toi aussi d'être fatigué. De pleurer. De te plaindre. De crier au secours. D'être même tenté par le démon. De plus en plus, je te sais près de nous, près de moi, « ordinaire », quotidien, « comme tout le monde ». Merci d'être là!*

1965...

La rencontre d'autres religions m'obligera, pour un temps, à réévaluer mes idées acquises, mais aussi à examiner de plus près le christianisme et son principal initiateur, Jésus de Nazareth. En 1961, au Japon, tous mes étudiants de paléographie latine sont bouddhistes. En 1965, à Butare, au Rwanda, plusieurs sont animistes, quelques-uns sont musulmans. Des comparaisons s'imposent, d'autant plus que j'y suis professeur invité en tant qu'historien de la culture et non en tant que missionnaire ou prêtre catholique. En dialoguant, en observant, l'image du Seigneur se précise. Il m'apparaît de plus en plus comme un être universel, international. La diversité des croyances m'invite à valoriser tout ce qui est amour, paix, miséricorde. Et par-dessus tout la charité! Le dialogue des cœurs devient plus important que la comparaison savante des cultures. Toutes ces aspirations à l'unité, ce besoin évident de fraternité, la compassion bouddhiste, la miséricorde racontée dans le Coran, ce jeune étudiant juif de Kyoto qui, au-delà des préjugés acquis, me fait aimer les siens, *c'est toi qui pries afin qu'ils soient un. Je salue ton langage si souvent inclusif, ta manière d'accueillir et d'instruire. Tu es le plus grand rassembleur d'âmes et de cœurs de tous les temps. Ton royaume, je le vois de plus en plus ouvert à tous les continents, à tous les pays, à toutes les croyances. Tu continues, tu ressuscites à travers toutes ces grandes religions multiséculaires. Tu es la grande, sinon l'unique réponse à la mort pour toute personne de bonne volonté. Désir de durée!*

Goût insatiable d'immortalité! Tu es là où l'on désire le meilleur pour soi et pour les autres. Tu es là où l'on s'efforce d'aimer ou de « réaimer ». À qui irions-nous? « Tu as les paroles de vie éternelle » (Jean 6, 68). Tu veux que tous connaissent le Père, que tous soient sauvés. Ils le sont, je le crois. Dans la mesure où ils vivent l'Évangile intérieur et toutes ses valeurs sans pour autant les identifier verbalement, encore moins juridiquement, ils sont les enfants du Père : « ils viennent du levant et du couchant prendre place au festin » (Matthieu 8, 11)… « Au reste, tout ce qu'il y a de vrai, tout ce qui est noble, juste, pur, digne d'être aimé, d'être honoré… est à nous » (Philippiens 4, 8), comme à eux, les autres qui ne te connaissent pas.

1973-1976

De 1973 à 1976, je retourne vivre en Europe. Mieux, et divine coïncidence, je suis invité à donner des cours de latin médiéval et d'histoire du Québec, à l'Université de Caen. La Normandie de mes ancêtres! Vingt-cinq minutes en train de Lisieux! Mes pèlerinages aux Buissonnets se multiplient. Je veux savoir ou plutôt je découvre de plus en plus l'importance du quotidien dans la vie de ma « petite sainte ». Je suis comblé, rassuré. La vie universitaire n'est alors pas facile. La France est divisée. Les meilleurs maîtres de l'époque sont presque tous marxistes. Mes choix de vie se concrétisent. Mais Thérèse est là, tout près. Elle a promis, elle veille. Seul en appartement, je m'ennuie. Si je me réjouis trop avec mes amis, j'oublie le Seigneur. Alors je monte à Lisieux. Le carmel, les Buissonnets, deviennent une fois de plus les lieux bienheureux de ma réflexion. Pour de multiples raisons de vie et de ministère auprès des jeunes universitaires à Caen, je découvre encore davantage que Jésus, mon frère, est vraiment l'ami, le compagnon qui patiente. Il va au-delà de la pure apparence humaine et n'éteint pas la mèche qui fume encore. Il ne sépare pas tout de suite l'ivraie du bon grain. Il a de la considération pour l'ouvrier retardataire. Il ne méprise pas les prostituées ni toutes les « victimes » d'une sexualité dévergondée. Ses messages m'enchantent. J'écoute psalmodier les Carmélites. Je veux toujours en savoir davantage en même temps que s'élargit ma perception de Jésus.

Peu à peu s'illuminent en moi le discours théologique savant et toutes les définitions conciliaires. À travers l'humanité de cet être extraordinaire, je perçois de plus en plus celui qui appelle l'Esprit sur moi et me révèle le Père. « Il est la porte; il est le chemin qui mène au mystère » (cf. *Jean* 10, 9; 14, 6). Comme Thérèse, je me dis : « Si Dieu est mon Père, je suis son enfant. » Quoi de plus rassurant! « Ceux-là sont fils de Dieu qui sont conduits par l'Esprit de Dieu : vous n'avez pas reçu un esprit qui vous rende esclaves et vous ramène à la peur mais un esprit qui fait de vous des enfants adoptifs et par lequel nous crions : *Abba*, Père. Cet esprit lui-même atteste à notre esprit que nous sommes enfants de Dieu » (*Romains* 8, 14-16).

1980...

Dans les années 80, à la veille de ma retraite définitive de l'Université de Montréal, je suis devenu si obsédé par le personnage humain de Jésus que j'ai décidé que mes rapports avec lui pourraient prendre une forme plus littéraire. J'en ferais un compagnon d'écriture. Dans *Quelque part en Bellechasse*[13], j'en fais un mendiant, un « quêteux », itinérant généreux et soucieux d'enseignement. Le livre a obtenu un certain succès. Le regretté Fernand Dumont (†1997), collègue et ami de longue date, remarque en souriant — a-t-il pressenti son cancer? — que j'avais omis de parler de la mort du Christ comme d'un événement majeur du don de la vie à l'humanité. Pour me venger... j'écris *Marie de Saint-Michel*[14] : Jésus meurt face à sa mère. Aujourd'hui, j'aurais le goût d'un autre conte, cette fois autour de Jésus adolescent. Jésus adolescent en compagnie de sa mère et marqué par les paysages de son enfance qui seraient, évidemment, ceux de ma propre enfance! *En même temps, je saluerais en toi tous les adolescents du monde qui bientôt prendront notre relève. Je te vois, je te revois si souvent à Nazareth, sur les routes de la Galilée et de la Judée : tu arrives, tu pars, tu viens, tu quittes, tu revois ta mère, tu repars. Toujours au nom d'une Parole qui te harcèle, un feu que tu es venu « allumer sur la terre » (cf. Luc 12, 49).*

---

13 Montréal, Le Noroît, 1981, 81 p.

14 Montréal, Éditions Paulines, 1986, 131 p.

Tu te sens directement responsable. Comme ta mère, Marie : « Qu'il me soit fait selon ta Parole » (Luc *1, 38). « Faites ce qu'il vous dira »* (Jean *2, 5).*

Entre toutes les femmes

Depuis le 8 décembre 1930, jour de ma consécration à la Vierge selon les rites pratiqués au collège Sainte-Anne-de-la-Pocatière, Marie est devenue tout simplement, tout naturellement je devrais dire, ma mère d'en haut, tout comme elle est la mère de Jésus. Aujourd'hui glorifiée en âme et en corps, bénie entre toutes les femmes, elle m'inspire, elle m'aide. Peut-être qu'en étant fixé à elle, je me retrouve fixé à ma propre mère et par là à l'univers féminin. *Dixit* un éminent psychanalyste! C'est possible, toujours possible. Pourquoi pas? Pourquoi devrait-il en être autrement? « Ne sépare pas ce que Dieu a uni », l'homme de la femme, l'époux de l'épouse, l'enfant de la mère, Benoît de Marie. Sans que je m'en rende toujours compte et ce, depuis longtemps, à cause de toutes les images, paraboles et symboles que Jésus emploie à propos de sa mère, je me sens inspiré. Le levain dans la pâte, le grain de sénevé en terre, le sel sur la table, la lampe : comment, parlant ainsi, ne penserait-il pas à la vie de Nazareth? Fixation à la mère pour lui aussi? Possible! Et tant mieux!

Jésus rencontre et visite beaucoup de femmes, à tel point que les évangélistes s'étonnent. Certaines de ces femmes ne sont pas des anges ni toutes comme Marie, Marthe et l'autre Marie. Et pourtant! Il ne dira pas de la Samaritaine qu'elle est volage, légère, qu'elle ne respecte pas ses engagements, qu'elle est marquée par les préjugés religieux de son milieu. Tout simplement : « Donne-moi à boire. » Un peu d'eau et il engage la conversation. Il ne dit pas de cette prostituée qu'elle est une femme des rues, pécheresse et mal famée; il conclut qu'elle a plus de chance d'entrer dans le royaume de Dieu que beaucoup de ceux et celles qui tiennent à leur richesse, à leur savoir, à leur réputation, voire à leur vertu. De Marie-Madeleine, il ne dit pas qu'elle n'est qu'une adultère enracinée dans son péché. Mais non! « Je ne te condamne pas. Ne pèche plus. » C'est-à-dire : fais de ton mieux. Une autre femme vient de toucher la frange de son manteau. Elle dérange, elle est indiscrète. Il la trouve, lui, extraordinaire. On ferait bien d'imiter son geste. Cette vieille dame qui a jeté quelques piécettes d'argent dans le tronc du Temple, son offrande est-elle inutile? Non, elle donne plus que les plus riches, ceux qui paraissent plus aptes aux affaires du Temple.

À la suite de Jésus et sans que je l'aie prévu au départ, les circonstances ont voulu que depuis 1945 j'associe une grande partie de ma vie de prêtre à la gent féminine. Comment accomplir un tel ministère auprès des étudiantes d'université, le plus souvent jeunes, certaines d'une rare beauté, intelligentes et douées et, plus tard, auprès des femmes de tout âge, et survivre... à mes engagements de célibataire consacré?

Bien sûr, il y a un long chemin entre l'idéal et la réalité, entre la route et les pas. « Que celui d'entre vous qui est sans péché lui jette la première pierre » (*Jean* 8, 7). Encore aujourd'hui, avec le Christ, mon frère, j'apprends avec elles et par elles le plus grand don qui soit : la liberté. La liberté d'aimer. Aimer sans posséder, aimer sans accaparer, aimer sans retenir. « Vous avez reçu gratuitement, donnez gratuitement. Il n'y a pas de plus grand amour que de donner sa vie aux personnes qu'on aime... » et même « il y a plus de bonheur à donner qu'à recevoir » (*Matthieu* 18, 8; *Jean* 15, 13; *Actes* 20, 35). Difficile. Possible. Ça s'apprend!

La belle-mère

Prêtre depuis tant d'années et comblé par la miséricorde de Dieu, jamais plus je ne me découragerai. J'aime. J'aime les gens. J'aime ce que je fais. Mais elle! L'Église, l'Église visible, l'Église historique? Au *Studendat* à Ottawa, elle était si aimable. Nous l'aimions dans l'unanimité, l'Église, l'épouse du Christ, le corps mystique, la grande famille des élus. Infaillible, unique, sainte, catholique, apostolique. Son initiateur, Jésus, est célèbre par ses miracles. Il triomphe même par sa mort. De toute évidence, il est divin, Fils de Dieu. Il nous arrive de le célébrer en tant que roi de tous les rois du monde : le Christ-Roi.

Mais elle! Oui, elle! L'Église administrative, le Vatican, la *Banco Santo Spiritu*, les monitions, les lois, les lettres, les avertissements, le style carré, les péchés dictés à l'avance, les mises en garde. Après l'Écriture et la Tradition dont nous avions aimé la synthèse au cours des études, voici le magistère rétroactif qui n'en finit pas de se citer jusqu'à mettre parfois en retrait les saintes Paroles du Seigneur.

Ecce ecclesia! Jésus est dans la barque, le vent souffle et lui, il dort. Dort-il vraiment? Arrivé à l'université dans les années 40, mêlé au monde de savants professeurs et peu à peu à celui plus turbulent des artistes et des écrivains dits de gauche, j'apprends d'une façon souvent malhabile les divers visages de mon Église catholique romaine. Après 1960, la tempête fait rage : des femmes intelligentes résistent ouvertement aux consignes papales, des prêtres amis s'en vont, la population doute et fuit. Bousculée par une opinion publique de plus en plus défavorable, mon Église au Québec se tait. Heureusement, à mon avis, car il devient difficile sinon impossible de distinguer entre le doute des uns et l'ignorance des autres. « Ne lutte pas contre le vent, ferme ta fenêtre », dit un proverbe. Moi, j'essaie de composer avec la foi reçue et la foi à dire. Ma conscience est alertée. Que dire aux divorcés, à ceux et celles qui ne pourront plus communier à ma messe, aux gais, aux lesbiennes? Que dire des unions de fait, des mariages à l'essai, de la pilule, de la contraception, du libre choix des naissances, des grossesses non désirées? *Où es-tu Jésus? Que dirais-tu à ma place? Comment te conduirais-tu?* J'étudie, je prie, j'étudie, je prie. Je pense à Marie de Nazareth bousculée, elle aussi, à cause de l'opinion publique et de la jalousie des pouvoirs politiques.

Qui vient à mon secours? Devinez! Nulle autre que Thérèse de l'Enfant-Jésus. Lucide, loyale, l'œil vif, elle m'invite à relire les événements et à mieux réfléchir. « Je compris que l'Église avait un cœur, que ce cœur était brûlant d'amour... Je compris que l'amour seul faisait agir les membres de l'Église... Je compris que l'amour renfermait toutes les vocations, que l'amour était tout. » Depuis, j'en suis venu à aimer ma belle-mère! Pour toutes sortes de raisons : à cause de sa fidélité à tracer la route, à cause de sa vision globale de la vie et de l'histoire, à cause de son sens de la durée, à cause de ses entêtements sacrés et de son courage face aux qu'en-dira-t-on. Le monde ne sera jamais sa référence, bien qu'elle ne cesse de se soucier de lui. Et qu'elle dure! C'est divin. En relisant *Lumen Gentium* du concile Vatican II et l'interprétation généreuse de mon Église face à la liberté de conscience, je sens ma belle-mère de plus en plus inspirée, mobilisée par d'autres forces que celles par lesquelles elle manifeste à l'occasion sa fragilité humaine. Dans son humanité, elle me fait penser au Christ pauvre, exilé en Égypte, perdu au Temple qui parle et donne sa vie jusqu'à sa mort horrible en croix. Au-delà des apparences parfois déconcertantes, malgré les blessures et les ruptures, l'Église s'affirme indestructible. Par elle, se perpétue l'Alliance, s'accomplit la Promesse et se construit le Royaume. Une fois de plus l'être humain devient le chemin du divin.

Une scène d'hiver en Bellechasse, dont j'aime me souvenir, m'aide à apprécier les avis de ma chère belle-mère. À la maison, au troisième rang de Saint-Michel, nous nous faisions une sainte obligation d'aller à la grand-messe du dimanche. Soixante minutes en traîneau. Si la tempête s'en mêlait, avec le vent et la neige? Nous irions quand même à l'église. Mon père avait les mots qu'il fallait pour nous rassurer : « Embarquez les enfants! Les balises vont nous montrer la route. » Et c'était vrai. Les balises, points de repère, nous guidaient inévitablement vers le village. Sans elles, nous aurions été comme des pèlerins qui perdent jusqu'au tracé de leur chemin. L'Église indique ta route : à toi maintenant! Ne s'est-il pas appelé, lui, le chemin, la vérité, la vie? « Qui me suit ne marche pas dans les ténèbres » (*Jean* 8, 12).

Faites ceci en mémoire de moi

Un temps fort de la présence active du Christ, accomplie en union avec l'Esprit et promise à toute personne de bonne volonté, se vit dans l'eucharistie. Chaque jour si possible, et ce depuis soixante ans. Lui, mon ami Jésus, Fils de Dieu, vient et il m'assure d'une réalité assez particulière à partir de paroles consécratoires — toujours les mêmes parce qu'il est toujours le même et unique Sauveur — il vient en corps et en sang. « Faites ceci... » La création, le ciel, la terre, les saints, l'humanité, les défunts, les anges, ils sont tous là. Victoire d'une Parole qui agit en même temps qu'elle est dite! L'Église implore. Lui, uni à l'Esprit, la conduit au Père. Ô mystère de la foi! Au tout début de ma vie sacerdotale, je me préoccupais de respecter les rubriques, de plaire à l'assemblée, de bien dire les mots. Peu à peu — et il a fallu du temps comme d'habitude — je me rends compte de la vérité de la liturgie eucharistique, ainsi que de la sacrée folie du Christ en amour avec son humanité pour nous donner de tels rendez-vous. Ce fut une libération merveilleuse, provoquée par le concile Vatican II, que la fin des messes privées, messes en cages fermées, dites de dévotion. Désormais, toute la communauté ecclésiale y est conviée. Le Christ nous désire tous et toutes. Immense famille. Par lui, avec lui, l'humanité communie.

Chaque fois

La présence fraternelle du Christ dans ma vie ne se limitera pas à la célébration eucharistique. « Je serai avec vous tous les jours jusqu'à la fin des temps » (*Matthieu* 28, 20)... « Je ne vous laisserai pas orphelins... Je vous enverrai l'Esprit » (*Jean* 14, 18; 16, 17). *Tu es là où quelqu'un a soif, a faim, est étranger, nu, malade, prisonnier. Tu es dans le verre d'eau offert en ton nom. Tu es avec cette étudiante du Rwanda endeuillée à la suite du génocide; tu es avec cette amoureuse abandonnée dans son cœur essoufflé; tu es avec ce sidéen de vingt ans qui t'implore, déçu de ne pas t'entendre; tu es avec cet homme politique qui me demande de lui offrir silencieusement les derniers sacrements. Tu es avec Flora — 50 ans — clouée sur son lit d'hôpital, paralysée à jamais, dépendante, et qui me demande la communion à l'occasion de son anniversaire. Tu es avec Marie-Marthe qui me donne ses crises d'épilepsie. Tu es avec Michel qui ne cesse, partout où il va, de raconter tes évangiles. Tu es avec monseigneur qui, à contre-courant souvent, vit les soubresauts d'une Église diocésaine malmenée. Tu es tout autant avec l'aphasique muette dont le cœur est à toi qu'avec la moniale qui psalmodie. Tu es là quand quelqu'un aime, écoute ta Parole... Tu es là déjà avec le nouveau venu dans le ventre de sa mère, tu es là à sa naissance. Je le dis quand je pense au nombre quasi incalculable de baptêmes célébrés depuis 1941. De toute façon, la naissance d'un enfant est le signe irréfutable de ta présence sacrée. À travers les rites nécessaires à la venue de cet enfant, par les parents vit la tendresse de Dieu, Père entre les pères, Mère entre les mères. Tu es là, tu es là...*

Vases d'argile

La situation du prêtre n'est pas de tout repos. Il est difficile pour ne pas dire impossible d'être le représentant du Christ, d'être toujours vrai, toujours sincère, toujours digne, toujours purifié, toujours égal à l'idéal, toujours au meilleur de soi, toujours en forme. Il est dix heures du matin, une femme violentée te réclame; il est midi, un autre appel, un désespéré de l'*overdose*; il est quatorze heures, tu bénis un mariage. Sans oublier les derniers rites à n'importe quelle heure. Célébrer les funérailles d'un être cher, de sa mère, ou d'une sœur aimée... comment réserver ses émotions et ne pas pleurer avec ceux et celles qui pleurent? Le plus délicat a trait au sacrement de pénitence appelé jadis la confession et aujourd'hui le sacrement du pardon. « Je me confesse à Dieu... et à vous mon père... » Je ne m'y habituerai jamais. Est-ce scrupule infantile hérité de ma mère ou culpabilité d'adulte trop instruit : de quel droit puis-je, moi, présenter le pardon du Seigneur à quelqu'un qui, le plus souvent, est meilleur que moi? « Médecin, guéris-toi toi-même. » Quelques mois avant sa mort survenue le 13 septembre 1969, mon père se présente à moi pour sa confession. Me prenait-il pour Dieu? J'ai eu peur. J'aurais voulu rentrer sous terre. J'ai compris finalement que le Seigneur m'y autorisait... mais je n'ai pas aimé, oh! pas du tout. Disons plutôt que « le trésor [de notre vie], nous le portons dans des vases d'argile » (*Job* 10, 9), « pour que cette incomparable puissance soit de Dieu et non de nous » (*2 Corinthiens* 4, 7).

Tu es là

Entre-temps et avec le temps qui s'enfuit, je redis souvent cette magnifique prière chantée autrefois à complies : « Entre tes mains, Seigneur, je remets mon esprit. » *Eh oui! je te remets tous mes rêves de vivre, toutes mes amitiés que je souhaite durables. La miséricorde se moque du jugement. Dès lors et malgré mes fragilités, tandis que s'éteignent mes craintes et que le jour baisse, je crois que tu es là, toujours là (Luc 24, 29). Je crois que l'amour est plus fort que la mort.*

Celui qui a voulu que je naisse et vive si longtemps a ses plans.

Si l'Esprit de Dieu a ressuscité Jésus, il donnera aussi la vie à vos corps mortels par son Esprit qui habite en vous [...] Que dire de plus? Si Dieu est pour nous qui sera contre nous? [...] Oui, j'en ai l'assurance : ni la mort ni la vie, [...] ni le présent ni l'avenir, [...] rien ne pourra nous séparer de l'amour de Dieu manifesté en Jésus Christ Notre-Seigneur (*Romains* 8, 11.31.38-39).

Confiance! Confiance!

Je veux te voir. Je compte sur toi, grand frère Jésus... Quand je te verrai, je le sais, ta mère, notre mère Marie, ne sera pas loin. Confiance! Confiance! Là où le péché abonde, surabonde la miséricorde. Je me parle souvent de la Parole de l'enfant prodigue, ce chef-d'oeuvre de la compassion du Père... Je pense au bon larron, au bon pasteur qui court à la dernière brebis, au bon Samaritain. Je n'en finis pas de découvrir ta divine présence, ta tendresse, ton amour. Je te crains toujours un peu, mais je t'espère. Je te désire. « Mon âme désire le Seigneur plus que le veilleur ne désire l'aurore » (Psaume *130, 5*).

En attendant, laisse-moi te prier, te désirer à la manière de la dominicaine Catherine de Sienne, à la manière des carmélites Thérèse de Lisieux et Élisabeth de la Trinité. Qu'un jour, avec toi, le Père et l'Esprit, nous soyons réunis pour chanter à jamais un même Alléluia extatique. Ô mes trois, mon tout, ma béatitude! Divinité éternelle! Éternelle Trinité! Trinité bienheureuse! Océan profond! Immensité où je me perds!

Nathalie Beaudet détient un baccalauréat ès sciences en microbiologie et une maîtrise en neuroanatomie de l'Université McGill, de même qu'un doctorat en médecine de l'Université de Montréal. Elle a de plus étudié la psychiatrie à Paris. Depuis 1981, elle pratique son art en milieu hospitalier. Elle joue du piano, peint des portraits, jardine et restaure des meubles québécois. Mais sa passion première est de partager sa foi par le biais de conférences et d'écrits. En 2001, elle publie son premier livre, *Dieu, le meilleur psychiatre*, dans lequel elle montre que la foi peut confortablement coexister avec la raison et les connaissances scientifiques.

« La » rencontre

Un après-midi de mai 1989, j'ai rencontré Dieu. Pourtant, j'étais une athée convaincue. Sûre de moi, un tantinet arrogante, je voilais à peine le mépris que je ressentais pour ceux et celles qui croyaient en un dieu et en une vie après la mort.

Tout m'incitait à ce comportement. Ma mère, la personne la plus morale que je connaisse, avait grandi sous les régimes de Lénine et de Staline. La religion lui avait été présentée comme « l'opium du peuple ». Mon père, originaire de l'Ukraine de l'Ouest, avait fréquenté « à la polonaise » l'Église catholique. Cette dernière servait alors de refuge culturel et nationaliste au peuple de son pays opprimé par les Russes. On allait à la messe pour s'affirmer Ukrainien.

Enfant, durant le catéchisme, je me souviens avoir éprouvé un sentiment de révolte contre ce Dieu qui commençait par m'ordonner de l'adorer, notamment parce qu'il avait envoyé son Fils unique à la croix pour la rédemption de mes péchés. Pécheresse, moi ? Comment aurais-je pu l'être ? J'étais la prunelle des yeux de mes parents, la source de leur bonheur et de leur fierté. Dans ma famille, l'amour, la joie, la fantaisie et la passion pour la musique contrastaient avec la sévérité, le culte de la souffrance expiatoire et le moralisme des religieuses qui m'enseignaient. Elles s'évertuaient à étouffer toute individualité chez leurs élèves.

Même enfant, j'ai constaté qu'en société il était de mise de garder un silence gêné sur la foi. Les croyants n'en discutaient jamais et il ne fallait surtout pas leur poser de questions. J'en ai conclu que leurs convictions étaient malaisées à défendre. Par ailleurs, l'immortalité de leur âme ne semblait pas avoir d'impact sur leur quotidien et ils ne se distinguaient en rien des non-croyants. Leur foi en Dieu avait autant de pertinence que ma foi au Père Noël.

Puis, à coups de formules mathématiques bien étayées dont on m'a gavée à l'université, j'ai appris les théories de l'évolution, le hasard des mutations et les forces de sélection naturelle. L'astronomie m'a confirmé qu'il existait au bas mot un milliard de planètes dans notre galaxie, toutes soumises aux mêmes lois physiques que la terre et donc probablement peuplées. Enfin, l'étude de la psychiatrie m'a convaincue que l'être humain, incapable d'accepter sa propre finitude, érige un mécanisme de défense primitif : le déni de sa mort. Il s'invente un dieu et une existence outre-tombe.

Je dois souligner que la morale était loin d'être exclue de mon schéma du monde. Au contraire, je comprenais bien que l'être humain, ayant acquis une certaine conscience de lui-même, préfère vivre dans un monde ordonné et harmonieux plutôt que selon les lois de la jungle.

Pendant des années, j'ai donc vécu dans le réconfort de l'intellect et le soutien du rationnel. J'avais une vie douillette, gouvernée par le dieu de la raison et riche en expériences humaines.

Jusqu'à ce jour-là.

J'ai beaucoup de réticence à décrire cette rencontre. D'abord, il y a la peur de passer pour une folle ou, à tout le moins, pour une gentille illuminée. Je me suis déjà fait dire : « La folie déteint et c'est un risque que l'on court à force de pratiquer la psychiatrie. » S'ajoutent à cela la gêne de livrer une chose si profondément intime et, sans doute, la crainte de donner l'impression de me vanter. Il reste la difficulté de mettre en mots une expérience qui ne relève ni de la logique ni des sens. C'est comme essayer de décrire l'émotion d'une mélodie en termes de croches et de doubles croches ou d'évoquer l'odeur du pain chaud en termes de molécules!

Cet après-midi-là, j'étais assise dans mon jardin. Je laissais mon esprit vagabonder au fil des pages d'un livre que je lisais distraitement.

Soudain, en un éclair, ma réalité a basculé. Mon esprit a été saisi de deux certitudes : Dieu existe et son essence est amour.

J'insiste ici sur le mot certitude, car il ne s'agissait pas d'une pensée ordinaire à laquelle on arrive en suivant le fil de la logique. La comparaison qui me revient en tête avec insistance pour rendre cette expérience est celle d'une pièce obscure dans laquelle on s'oriente à tâtons. Tout à coup, pendant une fraction de seconde, elle s'illumine. Ce qu'on a vu devient alors une certitude et remplace l'image qu'on s'était faite de la pièce par le toucher.

Dieu existe et son essence est amour! Un amour tellement absolu, intense, envahissant, que si l'expérience avait duré plus de quelques secondes j'aurais probablement disjoncté. La capacité physique de mon corps et la structure de mon esprit n'auraient pu soutenir ce contact au-delà d'un instant.

Son premier geste a été de m'offrir un cadeau : l'assurance d'une vie éternelle. Comme ça, gratuitement, sans condition! D'instinct, je me suis pliée en deux, sous le coup d'une décharge au plexus solaire au seuil du tolérable. Puis je me suis relevée, saisie de sanglots spasmodiques. Je ne voulais ni ne pouvais contrôler ce flot de larmes de bonheur. Consciente qu'il y avait des voisins derrière la haie, j'ai couru vers la maison pour donner libre cours à mes larmes.

Il m'a fallu quelques jours pour revenir à moi-même. Oh, bien sûr, j'étais fonctionnelle. J'ai même vérifié le manuel des maladies psychiatriques à la recherche d'explications rationnelles. Manie? La psychose maniaque la plus brève dure des jours et sème la destruction derrière elle. Moi, j'étais transformée. À l'extérieur, rien ne paraissait. Mais à l'intérieur, tout était changé. Il y aura toujours un « avant » et un « après » cette rencontre.

À partir de ce moment-là, je me suis mise à regarder la vie à travers un nouveau paradigme. Tout prenait une autre signification. Ce qui était important auparavant m'apparaissait maintenant insignifiant. J'étais surtout habitée par un nouveau désir : goûter encore à cette extase, à ce sentiment de plénitude en sa présence.

L'intensité de cette première rencontre ne s'est jamais répétée. Toutefois, j'ai découvert que je pouvais me réchauffer aux rayons de son amour, presque à volonté. Je dis presque, car il y a une condition que je suis la seule à pouvoir contrôler : le contenu de mes pensées. Quand elles sont positives, je ressens facilement cette présence. Mais dès que pénètrent dans mon esprit des machinations égoïstes, cette présence s'évanouit. Ce fut ma première grande découverte : Dieu ne peut cohabiter avec le sale, le mesquin, le violent ou l'orgueilleux. Je me suis donc appliquée avec entrain à chasser les pensées négatives, non par ascèse ou dans le but de m'améliorer, mais seulement pour me rapprocher de Dieu.

Ma deuxième découverte a été pour le moins déroutante. On pourrait croire que je m'étais engagée dans une lutte à finir contre le mal, que j'étais tenue à la perfection morale, à un comportement irréprochable, que toute ma vie se déroulait sous l'œil de son jugement : « J'exige la pureté, sinon je t'abandonne! » Pourtant, il n'en était rien. Souvent, c'est à la suite de mes bêtises que je connaissais les moments de plus grande intimité avec lui. Quand je ressentais un pincement de honte au cœur, que j'étais saisie par le dégoût de moi-même ou que je me lamentais d'être enchaînée à ma sale nature égoïste, c'est à ce moment-là que je sentais le plus son amour. Il me pardonnait plus complètement et plus vite que je ne le faisais moi-même. Son pardon semblait directement proportionnel à mon repentir.

Après coup, je m'étonne que durant les premières années qui ont suivi ma rencontre avec Dieu je n'aie pas vraiment su son nom. La relation s'était établie de façon si intime que je n'ai pas cherché à en connaître plus sur lui par d'autres voies que celle de ma propre expérience. Comme dans une relation amoureuse, je ne sentais pas le besoin d'un apport extérieur. Il m'aimait, et cela me suffisait! Ce n'est que plus tard que s'est manifesté le désir croissant d'en savoir plus sur lui, de lui donner un nom, de le partager avec d'autres.

J'ai commencé ma recherche par le bouddhisme. La notion de *karma* contentait mon sens de la justice et Bouddha me fascinait. J'étais attirée par la bonté et la sérénité qui émanaient du Dalaï Lama.

Mais après avoir étudié les principes de cette religion, je l'ai rejetée pour de nombreuses raisons. D'abord, je me rendais compte que je n'avais pas eu à passer par la lente et laborieuse ascension vers le *nirvana*. Ce que j'avais reçu, je l'avais eu gratuitement et sans effort. De plus, dans mon expérience de Dieu, il était clair que nous étions deux : lui et moi. Le bouddhisme enseigne que nous avons la semence divine en nous et que nous pouvons nous fondre dans une conscience cosmique mue par des lois impersonnelles. Cette affirmation allait à l'encontre de l'expérience que j'avais vécue. Par ailleurs, Bouddha solutionne le problème de la souffrance par le détachement, une sorte d'indifférence bienveillante ancrée dans la certitude que tôt ou tard les humains accèdent à la béatitude à travers un cycle de réincarnations. Mon Dieu à moi ne tolérait pas l'indifférence : il tenait à moi et il m'incitait à tenir aux autres. Et, finalement, je constatais que l'influence de Dieu sur ma vie n'avait pas produit de désengagement ou de vide dans mon esprit. Au contraire, il avait semé sur son passage un désir de m'impliquer, de l'énergie et une imagination effervescente.

J'ai vite éliminé la religion hindoue. Elle contenait trop de dieux et trop de rituels. Mon Dieu était unique, maître absolu de tout. Il m'était accessible par la voie de mon cœur et non à travers les statuettes ou l'encens.

Une patiente de l'époque m'avait vanté les vertus de l'islam. Mais c'est la vie même de Mahomet qui m'a convaincue qu'il ne représentait pas mon Dieu : les guerres, les traités rompus, les stratagèmes politiques, l'impérialisme de la religion, rien de tout cela ne correspondait à ce que je savais de Dieu.

Je dois admettre que je me suis attardée à l'ésotérisme. Besant, Teilhard de Chardin, Blavatsky, Murphy m'ont intriguée. Certaines bribes de leurs écrits sonnaient juste, mais ils ne proposaient aucune explication cohérente ou théorie unifiante qui rejoigne mon expérience personnelle de Dieu.

Finalement, j'ai ouvert les évangiles. J'étais mue plus par le désir d'être systématique dans ma recherche que par l'espoir d'y trouver la vérité. Le livre de Matthieu m'a déçue. La résurrection y est traitée comme un *post-scriptum* ajouté à la hâte. Comme les détails sur la vie de Jésus y sont d'une remarquable précision, il m'a semblé suspect que la pierre angulaire de la foi chrétienne, la résurrection, soit quasiment escamotée. J'ai eu la même impression chez Marc. Les anecdotes sur la vie de Jésus abondent, mais après sa mort, rien! L'auteur évoque bien quelques apparitions posthumes, mais sans plus. Cela me semble d'autant plus étonnant que l'*Évangile selon saint Marc* a été écrit à peine trente ans après la mort de Jésus. À la lecture du livre de Jean, en revanche, j'ai ressenti une vive émotion. Une chaleur adrénergique est montée en moi. Page après page, mon excitation grandissait. Je reconnaissais mon Dieu qui m'avait donné la joie et la vie éternelle. Il n'y avait aucun doute, je reconnaissais ses paroles, sa philosophie, sa protection. Je l'avais enfin trouvé. Alléluia!

L'étude de la Bible n'a jamais contredit ce que je connaissais de Dieu par expérience. Mais elle m'a fait découvrir des facettes de sa nature sans l'interférence de mon imagination. Moi, je connaissais le bonheur de son amour enveloppant, je sentais sa main me guider vers le bien et m'éloigner du mal, mais cela s'arrêtait là.

À trop vouloir le comprendre et l'expliquer, je me suis piégée à maintes reprises. Souvent, il m'a rappelé cette analogie : il y a plus de distance, sur le plan intellectuel, entre Dieu et l'être humain qu'entre l'être humain et la fourmi. Essayez donc d'expliquer à une fourmi ce qu'est un ordinateur! Impossible. La fourmi ne possède pas la capacité cérébrale pour le comprendre. Il en est de même pour l'être humain qui essaierait de placer un Dieu infini dans un système de pensée qui ne permet pas de saisir les concepts d'infini ou d'éternel. J'ai donc appris à accepter mes limites intellectuelles et à recourir aux seuls modes de communication possible avec lui : l'amour et la foi.

La foi? On la définit comme un don. Selon les études neuro-physiologiques, l'expérience spirituelle se localise principalement dans le lobe limbique du cerveau. Quand l'être humain fait l'expérience de Dieu, quand il croit, ce centre anatomique s'active. Certains scientifiques en ont conclu que l'inverse est vrai : une personne pourrait vivre une expérience spirituelle de foi suite à l'activation de ce centre neuronal. L'expérience de Dieu ne serait donc que le produit du cerveau. Pour moi, la foi est une nécessité. Imaginez un monde où Dieu se manifesterait sans équivoque à quiconque le demanderait : « Vous voulez que je prouve mon existence? Vous voulez des signes objectifs de mon omnipuissance? Les voilà! » Et Dieu ferait naître sous nos yeux les preuves exigées. Devant la certitude de l'existence de Dieu, l'être humain n'aurait pas le choix, il ne pourrait que tomber à genoux, soumis à la force de l'évidence. L'amour n'entre pas dans cette équation. Or, c'est à une relation d'amour que Dieu aspire. Ce thème se retrouve dans plusieurs traditions sous la forme de contes semblables à celui-ci : un prince beau, bon et riche cherche une épouse. Parce qu'il veut être sûr d'être aimé pour lui-même, et non pour son titre, il se présente sous les traits d'un pauvre. Il épousera celle qui l'aimera pour ses qualités.

Croire, c'est entrevoir une réalité qui n'est ni celle des sens, ni celle des émotions, ni celle de l'intellect. Cette réalité est si vertigineuse que si elle n'était pas voilée, le cerveau disjoncterait de la même façon que la rétine brûlerait si l'œil fixait le soleil. La foi permet de saisir sourdement, aveuglément, l'essence de la réalité divine. Elle est le pont entre l'éternel et l'éphémère, l'infiniment grand et l'infiniment petit. Sans elle, le Dieu de la Bible resterait inerte comme une partition musicale non jouée.

À de très rares occasions, j'ai tenté d'expliquer mes croyances. Chaque fois, mon argumentation m'a semblé ridicule. Voici pourtant ce en quoi je crois :

— Dieu tout-puissant, éternel et infini est amour. Donc, par définition, il se donne, il est un être de relation, il donne la vie à ses créatures. Il partage avec elles ses attributs, entre autres l'amour et la capacité de créer. Mais on ne peut être programmé pour aimer, sinon on serait des robots et non des enfants de Dieu.

— Entre donc en jeu la liberté : choisir de participer à l'œuvre universelle par l'amour ou choisir d'usurper la place de Dieu et tourner l'amour vers soi. Le choix implique nécessairement la dualité : le bien ou le mal, la vie ou la mort, la vérité ou le mensonge. Dieu accepte la présence de cette dualité, car elle est le prix à payer pour une relation d'amour librement choisie.

— À cause de ses mauvais choix, l'être humain se condamne à la mort. La perfection et la justice divines l'exigent. L'être humain devient alors comparable à une cellule cancéreuse qui refuse sa place et sa fonction au sein de l'organisme et qui se multiple à sa guise. Elle détruit l'harmonie du corps dont elle fait partie. Nous connaissons évidemment le sort que l'on réserve au cancer... Dans la relation avec Dieu, l'amour triomphe, car Dieu descend dans notre vallée de larmes et de misère. Il divinise l'humanité, il se fait accessible, il meurt à notre place et il nous offre une alliance avec lui dans la foi. Anthropomorphique? Ridicule? Rocambolesque? Peut-être, mais je suis prête à mourir pour cette vérité.

Je n'ai jamais remis en doute l'existence de Dieu, même si j'ai cherché d'autres explications à mon expérience avec lui. Il est possible que Dieu soit le produit de mon inconscient nourri de culture judéo-chrétienne. Il serait alors comparable à une hypothèse qui se trame dans l'esprit d'un scientifique et se cristallise pour devenir l'idée géniale qui le réveille au milieu de la nuit. Ce phénomène existe, mais il est rare. Par ailleurs, il ne se commande pas à volonté. Quant à mon expérience personnelle, j'ai constaté que, même si Dieu communique avec nous à travers les coïncidences et les événements de la vie, ses réponses sont souvent instantanées. Mais l'argument le plus fort contre l'hypothèse que Dieu serait le produit de mon inconscient est que je connais bien mon inconscient — à travers les associations libres, les rêves, etc. Je sais qu'il n'est pas capable de produire les trésors que je reçois de Dieu : sa sagesse, sa paix, sa compassion, sa vitalité. La transformation qui s'est faite en moi n'a pas ses racines dans ma petite et si prévisible psyché.

Aimer Dieu et essayer de mieux connaître sa volonté est une chose; s'y soumettre en est une autre. Il y a eu beaucoup de résistance de ma part, j'avais l'habitude de diriger ma vie selon ma logique et ma volonté. Pour moi, Dieu appartenait à une sphère spirituelle, morale et désincarnée. Il n'était pas très au courant de la complexité du monde moderne. De plus, je ressentais une angoisse sourde chaque fois que je soumettais une partie de mon être à sa volonté. Je croyais que j'allais m'appauvrir, perdre mon originalité. J'avais peur de devoir entrer dans le moule d'un modèle stéréotypé de sainteté.

Les résultats mitigés de mon acharnement à tout régler par moi-même m'ont obligée à lui laisser le gouvernail. Chaque fois, sans exception, que je lui ai cédé la barre, les résultats ont dépassé mes espérances. Le féminisme en est un exemple amusant. J'étais moderne, éduquée, politisée, et la pensée féministe me paraissait incontournable. Il était de mon devoir de revendiquer mon égalité au travail et dans la cuisine. Dieu serait sûrement d'accord, non? Eh bien, non! Le dialogue entre lui et moi a eu lieu un soir, dans ma cuisine. J'épluchais des carottes en m'apitoyant sur mon sort : « Pourquoi est-ce toujours à moi de planifier et préparer les repas, de mettre la table? » Je connaissais la réponse : victimes à travers les âges, les femmes n'ont pas su bien négocier leur égalité. J'ai alors soumis la question à Dieu, sans formuler de réponse préconçue dans mon esprit. Le temps d'un clignement d'œil, il m'a répondu par deux images qui restent encore gravées dans mon cœur tellement elles m'ont ébranlée. La première était celle d'une femme noire avec un enfant suspendu à son sein desséché, le regard éteint. J'entendais voler les mouches et je sentais la pestilence. Et moi? Je me plaignais d'avoir à choisir des aliments variés, disponibles en toutes saisons, sans tenir compte des prix. Et pour qui? Pour les personnes que j'aime le plus au monde. La seconde image était aussi saisissante : c'est celle des pieds de l'apôtre Pierre lavés par le Christ. L'eau était brunâtre. Je me souviens encore de la chaleur qui m'est monté au visage. J'avais honte de mon ingratitude. Dès cet instant, les luttes, les tensions, les inégalités, le rattrapage et les négociations entre les deux sexes ont disparu pour moi à tout jamais! Hommes ou femmes, ils sont mon prochain, je dois les servir. Quel soulagement! Plus tard, Dieu m'a fait comprendre que le prochain à aimer comme moi-même, ce sont d'abord mes proches, les gens de ma cuisine. Il n'accorde pas grand mérite à mon don pour lutter contre une famine dans un pays lointain si je sers le souper avec ressentiment.

Le Dieu de la Bible a aussi changé mes perceptions de la santé mentale. J'en suis venue à la conclusion que l'on ne peut être heureux que si l'on est bon. On ne peut grandir et mûrir que si l'on élargit sa conscience au bien-être des autres. La psychologie avec ses accents mis sur l'estime de soi, les mécanismes de défense et les négociations entre le moi et le surmoi me paraissent maintenant stériles! La plus efficace des psychothérapies, celle qui débouche sur un épanouissement physique, affectif, social et spirituel, me semble être les dix commandements! Quand j'étais athée, je croyais qu'ils nous avaient été donnés pour prouver notre servitude. Maintenant, je les vois plutôt comme de tendres conseils paternels donnés pour notre épanouissement. Imaginez une société où chacun, chacune se soumet au décalogue! Plus de vols, de mensonges, de meurtres, de familles disloquées, plus de prisons, de policiers, d'avocats! Dieu a même vu à notre repos, il nous ordonne de nous reposer un jour sur sept! Même le premier commandement, le rébarbatif « Adore-moi », est à notre avantage. Notre identité est définie par le contenu de nos pensées et nos pensées tendent vers ce qui est important pour nous. Si nous adorons Dieu, nous y pensons et en y pensant, nous échappons au monde matériel, égoïste et transitoire. Nous nous divinisons. Notre regard perçoit des horizons inaccessibles à ceux et celles qui n'adorent qu'eux-mêmes. Bien sûr, une peur atavique nous retient. Qui prendra soin de nous si nous ne pensons qu'à Dieu et aux autres? Il existe un paradoxe divin qui répond admirablement à cette question : « C'est en donnant que l'on reçoit, c'est en mourant à soi-même que l'on renaît. »

Dieu a aussi changé mon regard sur les toxicomanes. Je les voyais comme des êtres faibles et narcissiques, incapables de résister au plaisir immédiat et se dérobant au moindre effort. Maintenant, je comprends que l'être humain a été créé pour l'extase et la transcendance. Tout le monde cherche sa drogue : le sportif qui hurle de joie quand la rondelle entre dans le filet, l'amoureux qui cherche l'âme sœur, le joueur compulsif qui aspire au moment délectable de sa chance, le consommateur en quête de soldes ou le scientifique qui publie son vingtième article. Nous sommes tous et toutes à la recherche d'un moment hors de l'ordinaire, d'une étincelle magique. Nous n'avons pas été créés pour nous contenter de l'ordinaire. Cette soif innée, ce vide intérieur que nous essayons de combler par des moyens terrestres plus ou moins efficaces ne peut être comblé que par l'infini et l'éternel. Nous avons été créés ainsi. Ce qui me différenciait du drogué, c'était l'illusion que mes moyens étaient plus efficaces parce que socialement acceptables.

Sur l'amour, Dieu est ferme : aimer implique la permanence. Qu'est-ce qu'un « je t'aime » si l'on y ajoute : « jusqu'à l'an 2012, quand tu commenceras à m'énerver au point où je n'aurai qu'une seule envie, celle de te fuir »? L'exercice de la psychiatrie m'a permis d'observer la douleur affreuse qui surgit quand l'amour s'arrête. Aujourd'hui, on ne trouve plus de symboles pour représenter un engagement permanent : ni le contrat de mariage, ni l'acte de procréation, ni l'apparition de l'enfant. Fondamentalement, la société n'aspire pas et ne croit pas à la permanence de l'amour. La banalisation de l'acte amoureux a appauvri l'humanité. La seule façon de « rediviniser » la sexualité est que l'être humain prenne conscience de son potentiel de procréation et de ce qu'il implique : la création d'une cellule sociale, la famille, basée sur un amour permanent. Pour Dieu, l'amour est une décision permanente et non une émotion passagère.

Bien sûr, dans mon cheminement de foi, il reste des questions obsédantes pour lesquelles je ne perçois que l'ombre d'une logique. Comment expliquer, par exemple, la souffrance des enfants supposés innocents? Quel est le sort réservé aux athées bienfaisants? Pourquoi Dieu se cache-t-il à certaines personnes et pourquoi m'est-il apparu incontournable, à moi?

Ce que je sais, hors de tout doute, c'est que chaque fois que je rentre dans mon jardin intérieur, il est là à m'attendre. Je dépose à ses pieds mes chagrins, mes doutes, mes soucis, et il me donne une paix indescriptible. Je suis son enfant chérie.

Si jamais mon témoignage éveillait chez une personne le désir de le connaître, je peux lui assurer que notre Père céleste l'attend avec amour et patience.

Le père **Emmett Johns,** appelé familièrement « Pops », est prêtre, titulaire d'un doctorat *honoris causa* en droit, membre de l'Ordre du Canada et récipiendaire de douze autres prix importants, fondateur de l'organisme « Le Bon Dieu dans la rue », ami de milliers d'enfants de la rue, de jeunes et de personnes dans le besoin.

Si la valeur d'un homme se mesure à la force et à la profondeur de ses convictions, de ses valeurs personnelles et de sa fidélité en amitié, de sa générosité totale envers les autres, de son dévouement inlassable au bien-être des plus faibles et des plus pauvres, alors le père Emmett Johns est un géant.

De la Chine...
aux rues de Montréal

Comme bien des jeunes de ma génération élevés dans la religion catholique, des désirs de vie missionnaire se sont éveillés assez tôt dans ma vie. Mes parents étaient de bons travailleurs. Ils croyaient aux vertus de la prière et ils y consacraient beaucoup de temps. Ils recevaient deux revues mensuelles qui nous informaient sur les missions de Chine : celles des sœurs de l'Immaculée-Conception et celle des missionnaires de Scarboro. Cette dernière s'intitulait d'ailleurs : *China Mission*. Ma sœur et moi aimions beaucoup lire ces revues. À partir des images qu'elles nous présentaient, nous inventions nos propres scénarios.

La Chine m'a toujours attiré. Elle revêtait pour moi un caractère exotique. D'abord, c'était au bout du monde et tout y était différent : la langue, la culture, la couleur de la peau, la forme des yeux. Tout cela m'appelait à vivre une aventure fascinante et généreuse. Mais, surtout, les Chinois n'avaient pas la même chance que moi de connaître Dieu, d'être baptisés, de recevoir la communion. Ils ne savaient pas que la mort n'est pas la fin de tout et que le bonheur qui nous y attend dépasse infiniment celui que nous vivons momentanément ici-bas... Quand je revenais sur terre, je trouvais que la Chine était bien loin. Je me disais aussi qu'apprendre le chinois ne devait pas être facile. Son alphabet n'a rien à voir avec celui de l'anglais, ma langue maternelle, ou du français que je maîtrisais alors assez bien, ayant grandi dans un milieu francophone. En fait, peut-être que Dieu ne me demandait pas de si grands sacrifices?

Les années passées à l'école primaire furent sans histoire. La présence de Dieu m'était naturelle. Comme bon nombre d'enfants de mon âge, j'étais entouré de personnes profondément croyantes et pratiquantes. Tous les jours, ma mère assistait à la messe célébrée à l'église Saint-Denis, située à deux pas de chez nous. Mon père faisait sa confession mensuelle et sa retraite annuelle. Nous avions comme voisines les religieuses de Sainte-Croix. Souvent, nous les voyions déambuler en récitant le chapelet. Nous habitions également en face de la cour de l'école Champagnat. J'y jouais régulièrement aux billes avec les frères qui se servaient de celles qu'ils avaient confisquées à leurs élèves durant les heures de classe.

Je n'étais pas plus fervent qu'un autre, mais j'étais vivant! Au début de l'année scolaire, lors de la journée de retraite, j'étais toujours le premier à vouloir répondre aux questions posées par les prédicateurs. Ce zèle choquait beaucoup ma sœur, de seize mois mon aînée. Elle se faisait taquiner par ses camarades de classe au sujet de son frère qui avait réponse à tout! Pour moi, la question de Dieu : sa présence et son action dans ma vie et dans le monde, a toujours été importante. Cela se répercutait même sur mes jeux d'enfants avec mes voisins francophones. On se fabriquait des armes et on jouait à la guerre, mais il ne fallait pas qu'il y ait de violence! Ce n'est sans doute pas le seul paradoxe de mon existence.

Quand je suis arrivé à l'étape de l'école secondaire, mes parents m'ont envoyé au D'Arcy McGee High School, une institution publique catholique dirigée par les frères des Écoles chrétiennes. Ils voulaient pour moi ce qu'il y avait de mieux. Ils ont donc décidé de me confier à ces hommes qui ont toujours été de grands éducateurs de la jeunesse et pour lesquels je garde une profonde reconnaissance.

À cette école, nous recevions parfois des prêtres qui cherchaient à éveiller des vocations dans le cœur des jeunes. Je me rappelle d'un missionnaire oblat de Marie-Immaculée qui nous avait parlé de ses missions dans le Grand Nord. J'ai alors pensé en moi-même : « C'est bien trop froid! » Plus tard, un autre missionnaire venu d'Afrique vint nous entretenir des ravages causés par certains insectes dans leurs missions. Je me suis aussitôt dit : « Je n'aime pas les fourmis! » Nous avions aussi reçu la visite d'un prêtre diocésain, mais ce dernier ne m'avait guère impressionné. Sa vie en paroisse me paraissait un peu terne, elle n'exerçait pas beaucoup d'attrait sur moi. Peut-être que déjà j'avais le goût de faire les choses autrement.

À la fin de ma quatrième année de High School, mon professeur de littérature nous a fait travailler un poème autobiographique de Francis Thompson intitulé: *The Hound of Heaven*. L'auteur y racontait sa vie et son cheminement spirituel. Il y parlait de sa fuite de Dieu qui l'appelait et le terrorisait à la fois. Pour y échapper, il avait trouvé refuge — comme c'est encore souvent le cas — dans l'alcool, la drogue et le sexe jusqu'au jour où il s'est finalement écrasé devant celui qui le poursuivait. Il a alors reconnu que les mains qui se posaient sur lui ne l'agressaient pas. Elles étaient plutôt celles de quelqu'un qui l'aimait et qui venait à lui pour le prendre dans ses bras. Je me rappelle de ce poème comme si c'était hier et surtout de la très belle interprétation qu'en fit mon professeur, le frère Ignatius. Celle-ci m'a beaucoup impressionné et ce professeur a certainement influencé ma décision de frapper à la porte des missionnaires de Scarboro (l'équivalent anglophone des prêtres des Missions étrangères de Pont-Viau), à la fin de l'école secondaire. J'avais alors 17 ans.

C'est vraiment à ce moment-là qu'a commencé la vie sérieuse d'étude et de travail sur moi-même qui devait me mener en Chine et à la réalisation de mon rêve, que je croyais être aussi l'appel de Dieu. J'ai d'abord complété une première année de noviciat assez pénible. Pour la première fois de ma vie, j'étais éloigné de ma famille et elle me manquait beaucoup. De plus, je me sentais sans cesse sous observation, épié dans mes moindres gestes. Les tâches ménagères que l'on confiait aux novices ne m'enthousiasmaient guère et je ne m'y reconnaissais pas non plus de grandes aptitudes. À la fin de mon noviciat, malgré certaines réticences des supérieurs de l'ordre, j'ai quand même été admis en classe de philosophie pour deux ans. Je devais par la suite commencer l'étude de la théologie qui me permettrait de devenir prêtre et missionnaire en Chine.

À la fin de ma première année de théologie, après quatre ans passés chez les missionnaires de Scarboro, j'ai vécu à la fois le premier échec et le premier rejet de ma vie. Les supérieurs m'ont alors clairement indiqué qu'ils n'acceptaient pas que je poursuive ma démarche de formation chez eux. Ils ne me reconnaissaient tout simplement pas la maturité suffisante pour devenir missionnaire. Personne ne me demandait mon avis. Je n'avais qu'à me soumettre à ce qu'il est convenu d'appeler une décision d'autorité! Je devais quitter cette communauté et abandonner, avec elle, du moins pour le moment, mon rêve missionnaire.

Ce fut un douloureux et humiliant retour à Montréal. En plus de mon sentiment personnel d'échec, j'avais l'impression de décevoir toutes les personnes qui avaient mis leur espoir en moi et qui croyaient que j'avais tout ce qu'il fallait pour faire un bon missionnaire. Mon entêtement m'a conduit à tenter ma chance auprès d'une autre communauté missionnaire, les Maryknolls, dans l'État de New York. Là encore, le supérieur, à qui je croyais avoir fait bonne impression, m'a suggéré de renoncer à mon désir de devenir missionnaire et d'orienter ma vie autrement. Il s'appuyait sur l'évaluation faite par les missionnaires de Scarboro, qui m'avaient observé durant quatre ans.

Encore une fois, je me retrouvais devant un rêve brisé et un affreux sentiment d'échec. Longtemps, je suis resté désemparé cherchant comment réorienter ma vie. Je me demandais pourquoi Dieu ne voulait pas de moi pour aller évangéliser les Chinois!

Un oncle qui m'aimait beaucoup m'a alors encouragé à me diriger vers le Grand Séminaire de Montréal pour y poursuivre ma formation théologique. Si comme prêtre je ne pouvais servir l'Église en Chine, je pouvais au moins le faire ici ou ailleurs dans le monde. Dieu me faisait signe par l'entremise de cet oncle.

À Montréal, la vie de séminariste n'était pas toujours facile. Je portais encore la blessure de mon échec et elle me causait de vives inquiétudes. Ma sœur, qui savait un peu ma souffrance, m'a alors envoyé une carte pour m'encourager. Elle y avait inscrit un seul mot : « *Smile!* » Souris. Je l'avais glissée dans le cadre du miroir devant lequel je me rasais chaque matin. Dès lors, je me suis entraîné à sourire en sollicitant certains muscles de mon visage. Il faut croire que ces exercices m'ont bien réussi, car un jour en sortant de ma chambre pour me rendre à la méditation... je souriais. À tel point que des confrères m'ont demandé comment je faisais pour être si joyeux, si souriant à six heures du matin!

Je dois reconnaître que j'ai aimé le milieu de vie du Grand Séminaire de Montréal. Nous y étions près de trois cents séminaristes. Ce fut pour moi un milieu plus épanouissant que celui de Scarboro où nous n'étions que quarante, sans cesse sous le microscope des responsables de notre formation. Je m'y sentais beaucoup plus à l'aise, plus près des miens, et je m'y suis fait des amis que j'ai encore aujourd'hui, après cinquante ans. D'ailleurs, à l'issue de la maladie qui m'a frappé en décembre 2000 et de ma longue convalescence, j'en ai fait mon chez-moi. J'y réside avec une quarantaine d'autres prêtres et je m'y sens toujours aussi bien.

En 1952, j'étais ordonné prêtre et je commençais une vie de ministères variés dans le secteur anglophone du diocèse de Montréal. J'ai occupé mon premier poste de vicaire à Ville Saint-Laurent, auprès d'un homme que j'ai beaucoup aimé, le curé David McDonald. Il a été pour moi un guide d'une rare qualité. En le plaçant sur ma route, Dieu m'a fait un cadeau grâce auquel j'ai pu, par la suite, mieux servir son Église à Montréal. J'ai exercé d'autres ministères, dont certains ont été de courte durée. J'ai notamment fondé une maison de transition pour jeunes femmes en difficulté. J'ai été aumônier de l'hôpital psychiatrique Douglas, à Verdun. J'ai occupé la même fonction chez les sœurs de Sainte-Anne et chez les sœurs du Bon-Pasteur. Enfin, j'ai été curé à la paroisse Saint John Fisher de Pointe-Claire, où j'ai exercé mon ministère pastoral avec bonheur pendant douze ans. À part l'œuvre du « Bon Dieu dans la rue », à laquelle je me consacre depuis maintenant quatorze ans, c'est le poste que j'ai occupé le plus longtemps. J'ai ensuite vécu deux années plus difficiles à la paroisse Resurrection of Our Lord, non pas en Chine... mais à Lachine, où l'entretien matériel des édifices de la fabrique et les tâches administratives ont eu raison de ma santé et m'ont conduit à une profonde dépression.

À la suite de cette autre période douloureuse de ma vie, je me suis peu à peu ouvert à ce qui me semblait être dans les plans de Dieu depuis l'origine. Car ce n'est pas en Chine qu'il me voulait missionnaire, mais bien plutôt dans les rues de Montréal, auprès des jeunes en difficulté. Ceux-ci ont d'ailleurs autant, sinon plus que les Chinois, besoin de se voir annoncer la Bonne Nouvelle de l'amour de Dieu. Pour moi, il s'agit d'une évangélisation qui a sa culture et son langage propres. Cette culture et ce langage diffèrent du chinois, mais je n'aurai jamais fini de les découvrir.

Par leur exemple, mes parents m'ont enseigné ce que je devais savoir en matière d'évangélisation. Un jour, ma mère m'a dit avec beaucoup de sagesse : « Emmett, les gestes parlent plus fort que les paroles. Ne parle pas tant de Dieu, montre-le plutôt! » Ces paroles ont marqué ma vie. Je crois que c'est Dieu lui-même qui me disait, par l'entremise de ma mère, comment il voulait que je l'annonce aux jeunes de la rue.

Je n'ai pas « inventé » ce genre de présence. Un jour, j'ai entendu à la radio un homme de Toronto parler de son action auprès des jeunes de la rue. Ce fut une révélation! J'y trouvais la réponse concrète à mon désir de mission. J'étais déjà assez proche des jeunes, particulièrement de ceux et celles qui étaient rejetés et qui portaient en eux des blessures secrètes. Je les voyais qui essayaient de s'en défendre comme ils le pouvaient, parfois même en ayant recours à la violence. J'étais bien conscient du rejet qu'ils subissaient de la part d'un grand nombre de personnes par ailleurs bienfaisantes et bien-pensantes. Un déclic s'est alors fait en moi. Ainsi, après avoir mûri et porté ce projet de secourir les jeunes de la rue, je suis allé rencontrer cet homme à Toronto. Je voulais voir ce qu'il faisait et comment il s'y prenait. De retour à Montréal, je m'en suis ouvert aux supérieurs de mon diocèse, en particulier à Mgr Leonard Crowley, alors évêque auxiliaire du cardinal Grégoire et son délégué auprès des catholiques de langue anglaise. Mon projet fut bien accueilli et c'est ainsi que fût fondé, en 1988, l'organisme « Le Bon Dieu dans la rue ».

Je voulais que cet organisme soit l'incarnation de la présence accueillante et chaleureuse de Dieu et de son Église dans les rues de Montréal. La plupart des gens ignorent tout du monde de la rue et de ceux et celles qui y évoluent, la nuit. J'étais particulièrement sensible aux jeunes fugueurs et fugueuses, rejetés de leur milieu, qui se réfugiaient dans la rue, avec tous les risques que cela comporte. Avec les bénévoles qui sont venus rapidement se joindre à moi, nous voulions nous rapprocher d'eux en les accueillant avec chaleur, sans les juger. Par notre simple présence, nous voulions leur signifier qu'ils étaient des personnes à part entière et dignes de respect. Pour ceux et celles d'entre nous qui avaient la foi, il s'agissait de dire aux jeunes qu'ils étaient les enfants bien-aimés de Dieu, qui n'avait pas hésité à envoyer son Fils unique, Jésus Christ, pour le leur dire et le leur montrer.

Parfois, mes bénévoles et moi, nous recevons de beaux témoignages de la part des jeunes et des moins jeunes qui fréquentent la roulotte. Il y en a un qui nous touche particulièrement: « Ils sont bien bons vos *hot-dogs*, vos cafés, vos chocolats chauds, vos jus, etc., mais ce qui nous fait le plus chaud au cœur, à la roulotte, c'est de rencontrer des gens comme vous qui nous accueillez parce que vous nous aimez! » Quoi de plus réconfortant! Je me dis alors qu'il y en a qui comprennent vraiment pourquoi nous sommes dans la rue, cinq nuits par semaine depuis quatorze ans. Ce n'est pas pour y faire sensation! Ce n'est pas non plus pour jouer les héros ni même pour chercher à convertir qui que ce soit... C'est seulement pour dire à des gens souffrants et souvent méprisés le message que tous les êtres humains ont besoin d'entendre : qu'ils sont aimés!

Mon besoin et mon désir de me rapprocher de ces êtres qui souffrent rejoint certainement ma propre expérience de la souffrance. J'ai parlé plus haut de mon sentiment d'échec et de rejet quand on a fermé la porte sur mon rêve de devenir missionnaire en Chine. Tout au long de ma vie, j'ai vécu d'autres expériences qui m'ont fait dire et penser plus d'une fois que j'étais un perdant, malgré mes allures de gagnant. Mais chaque fois, Dieu a trouvé le moyen de me dire et de me montrer que j'avais de la valeur à ses yeux et qu'il m'aimait comme son fils.

J'ai vécu l'une des pires expériences de ma vie en décembre 1968. Je prêchais alors une retraite aux finissantes de l'école des infirmières de l'hôpital Saint Mary's. Une vingtaine de jeunes femmes de vingt ans et plus y assistaient. J'étais heureux de les accompagner durant ces deux jours de prière et de repos, dans le décor enchanteur des Laurentides sous la neige. Voilà que deux d'entre elles manquent à l'appel. Sorties se promener dans la neige, elles ne sont jamais revenues. On a retrouvé leurs corps une semaine plus tard. Les parents de l'une des victimes m'ont tenu responsable de la mort de leur fille et ont même voulu m'intenter un procès. L'enquête du coroner a conclu à des morts accidentelles et j'ai été blanchi de toute accusation.

On porte quand même longtemps les séquelles d'un tel drame. Elles sont visibles sur mon visage, dans la petite barbiche blanche qui orne mon menton! Plusieurs pensent que c'est pour faire *cute* ou me donner un genre. Moi, je sais que c'est la marque du calvaire que j'ai eu à gravir en 1968. Cette épreuve a bien failli m'empêcher de continuer à vivre, tant la douleur était grande. Comme le font les Juifs, j'ai résolu de laisser pousser ces quelques poils en souvenir de ce triste événement à jamais inscrit dans mon cœur.

Depuis ses débuts plus que modestes en 1988, l'organisme « Le Bon Dieu dans la rue » a beaucoup évolué et il est devenu une grosse affaire! La générosité de nombreux donateurs et l'engagement des intervenants et du personnel de direction ne sont pas étrangers à ce phénomène. L'apport continuel d'un grand nombre de bénévoles et la saine gestion d'un excellent conseil d'administration y sont pour beaucoup. J'éprouve parfois une certaine crainte en constatant l'ampleur de l'organisme et son évolution rapide depuis quatorze ans. Il ne fait cependant aucun doute que nous devons aller de l'avant et continuer d'offrir aux jeunes de la rue des services de qualité qui répondent à leurs besoins.

Très tôt, nous avons saisi qu'il ne suffisait pas d'accueillir des jeunes dans une roulotte, même si celle-ci est devenue plus pratique et plus spacieuse avec le temps. Nous en sommes à notre quatrième roulotte, qui nous a été offerte par la compagnie Canadien Pacifique. Devant les besoins des jeunes de la rue, particulièrement ceux des mineurs exposés à tous les périls, j'ai vite compris, avec mes premiers collaborateurs, qu'un ministère comme celui que nous exercions ne pouvait se contenter de mettre des sparadraps sur des plaies. Il fallait essayer d'aller plus loin. De là est née en 1993 une maison que les jeunes ont eux-mêmes choisi d'appeler « le bunker », rue Saint-Hubert. C'est une maison de trois étages qui peut héberger une vingtaine de jeunes mineurs, chaque nuit. Des intervenants et des intervenantes y travaillent à accueillir, accompagner et orienter les jeunes qui viennent y dormir. Pendant leur sommeil, ils lavent leurs vêtements et préparent un bon petit-déjeuner. C'est un peu comme si, à travers nous, leur mère absente prenait soin d'eux et veillait à leurs besoins les plus élémentaires : une douche, un lit, un repas, des vêtements propres et qui sentent bon, etc.

En 1997, nous faisions un pas de plus, dans la suite logique de la roulotte et du « bunker ». Nous avons ouvert le « Centre de jour chez Pops », rue Ontario, près de Champlain. Ce centre est devenu un lieu d'accueil et de ressources pour les jeunes de 14 à 25 ans sans abri ou en situation précaire. Cinq jours par semaine, on y reçoit gratuitement à dîner environ deux cents jeunes. Ceux et celles qui le désirent peuvent poursuivre leur formation scolaire sur place, grâce à trois professeurs engagés à temps plein, deux religieuses bénévoles des sœurs de Sainte-Anne et d'autres bénévoles. Les jeunes peuvent aussi entreprendre des démarches de croissance et de réinsertion sociale, avec l'aide d'intervenants qualifiés. Des services médicaux leur sont offerts et deux psychologues sont également à leur disposition. Une salle d'informatique et des studios d'arts plastiques et de musique sont aménagés dans les locaux du centre. Une fois par mois, en soirée, une clinique vétérinaire, dirigée par des professeurs et des étudiants de l'École de médecine vétérinaire de Saint-Hyacinthe, dispense des soins de santé gratuits aux animaux des jeunes. De même, une équipe de dentistes de l'Université McGill propose gracieusement ses services dans une clinique installée dans la cafétéria du centre qui est un peu la maison des jeunes.

Tout cela n'aurait jamais été possible sans le soutien quotidien de Dieu. Depuis les débuts de ce projet un peu fou, il s'est manifesté de mille et une manières, notamment par l'appui constant de la population de la grande région métropolitaine et même de plus loin. Des communautés religieuses et des groupes sociaux nous ont également soutenus. Il en est de même de grandes entreprises qui, elles aussi, ont cru et continuent à croire en notre action auprès des jeunes. C'est vrai que Dieu dirige cet organisme! Plus d'une fois, des jeunes et des moins jeunes, pas toujours très fervents, me disent, avec le plus grand sérieux : « Pops, prie pour moi, j'en ai besoin. Et toi, je le sais, le Bon Dieu t'écoute, parce que sans ça tu ne pourrais pas faire ce que tu fais! » Cette sagesse populaire me réconforte à l'heure du doute et des questionnements. Elle rejoint d'ailleurs la parole de l'Évangile au sujet de Jésus : « Cet homme ne pourrait accomplir ce qu'il accomplit, si Dieu n'était pas avec lui! »

Le 9 décembre 2000, j'ai eu à traverser une nouvelle épreuve, j'ai été terrassé par un infarctus. Il a entraîné, quelques jours plus tard, trois pontages coronariens. Au sortir de l'hôpital, j'ai dû me résigner à une longue convalescence. Les sœurs de la Congrégation Notre-Dame m'ont alors gracieusement accueilli à la villa Marguerite. Elles m'ont permis de recouvrer suffisamment de forces pour reprendre contact avec l'organisme que j'ai fondé et que mes amis appellent « mon enfant ». J'ai été tellement ébranlé par cette maladie que j'ai même cru, pendant un certain temps, que je devrais quitter mes fonctions. Heureusement, depuis le mois d'avril 2002, je reprends progressivement du service, mais je sens bien que mes forces ne sont plus les mêmes. Je dois désormais être plus prudent, ce qui n'a jamais été ma vertu principale! Mais là encore, Dieu s'est manifesté en nous envoyant les nouveaux bénévoles dont nous avions bien besoin pour continuer à fonctionner et à rester au service des jeunes que nous aimons. Selon certains de mes proches, je n'ai pas le droit d'abandonner « mon enfant ». Je dois toutefois trouver de nouvelles façons de lui être présent et d'assurer le maintien de l'esprit d'origine : esprit de service et de partage, mais aussi et surtout, esprit de celui qui nous dira, au soir de notre vie : « J'avais faim et vous m'avez donné à manger, j'avais soif et vous m'avez donné à boire »… J'étais un sans-abri, j'étais dans la rue, j'étais méprisé, rejeté et vous m'avez accueilli dans la roulotte, au « bunker », au centre de jour… « Venez, les bénis de mon Père… Chaque fois que vous l'avez fait à l'un de ces petits qui sont les miens, c'est à moi que vous l'avez fait! » (*Matthieu* 25, 40)

Sur le dernier versant de ma vie, je continue à penser que c'était la mission à laquelle le Seigneur me préparait. On dit que Dieu écrit droit avec des lignes courbes… Il y a eu effectivement bien des lignes courbes dans ma vie. Mais ce qui n'a jamais fléchi, c'est mon désir de servir et d'être proche des laissés-pour-compte, des méprisés, des petits, des rejetés… Voilà sans doute pourquoi Dieu m'a fait passer de la Chine aux rues de Montréal, et je lui en suis infiniment reconnaissant. Car c'est sur ce terrain, sans contredit, que je connais mes plus grandes joies et que je me réalise un peu plus chaque jour, en le côtoyant à travers ses enfants.

Sylvain-Alexandre Lacas est père de deux enfants, artiste et témoin engagé au nom de sa foi au Christ. Sa mission première est l'éveil spirituel par l'art. *MissionnArt*, dont il est le directeur-fondateur, se consacre à servir cet idéal apostolique. Parmi ses créations théâtrales, on note : *François d'Assise, Exil et Tendresse*, joué au Québec et en France; *Job*, d'après la Bible; *Thérèse*, sur la vie de sainte Thérèse de Lisieux; *Une voie dans la montagne*, présenté à l'Oratoire Saint-Joseph; *La plus que vive*, sur un texte de Christian Bobin.

Sylvain-Alexandre Lacas produit aussi des événements chorégraphiques : *Les pionnières*, présenté à la Place des Arts et *Une célébration de la vie*, présenté à l'Aréna Maurice-Richard pour la béatification de mère Gamelin. Il a en outre interprété un apôtre dans la création de Robert Hossein, *Jésus était son nom*, jouée en Europe, au Mexique et à Montréal. Il a réalisé plusieurs vies de saints, des émissions culturelles pour Radio Ville-Marie et un document audio sur la vie de saint Joseph. Il collabore à la *Nouvelle Revue Franciscaine*, donne des conférences et prépare une création musicale et chorégraphique sur le thème de la paix pour mars 2004.

Fils de la Terre

Trempe-toi dans la matière, Fils de la Terre, baigne-toi dans ses nappes ardentes, car elle est la source et la jeunesse de ta vie. [...] Pour comprendre le Monde, savoir ne suffit pas : il faut voir, toucher, vivre dans la présence, boire l'existence toute chaude au sein même de la Réalité.

P. Teilhard de Chardin[15]

L e témoignage qui suit s'appuie sur ma vision intérieure de celui que nous nommons le Christ! Être à la fois énigmatique, incompréhensible souvent, fuyant devant le savoir absolu, la prétention des êtres humains. Lui, le souffle, puisqu'il inspire toute vie, et la semence, car il fertilise l'esprit. L'ami, car je le sens sourdre en mes entrailles. L'indicible, oui, les mots deviennent hésitants quand il s'agit de le dire. L'évanescent... et c'est mieux ainsi, car nous ne pourrons jamais le circonscrire, le posséder, le marchander. Il vit par-delà l'existence et, à qui le désire, il déleste amoureusement le cœur pour mieux l'ouvrir à sa présence. Et que dire encore? Aujourd'hui, à même sa parole : ses sonorités, ses assises théologiques, sa matérialité... et ce, au cœur de ma vie de chrétien et d'artiste, je tente de le rencontrer. C'est cette intimité que je vous livrerai ici, une expérience personnelle de Dieu que mon travail a sondée et apprivoisée.

Le Christ, celui dont on parle peu ou beaucoup, cela dépend de la perspective, est devenu l'un des nôtres, en naissant discrètement

---

15 *Hymne de l'Univers*, Paris, Éditions du Seuil, 1961, p. 66.

comme ça, une nuit, près des siens, hors des sentiers battus par la caravane humaine. Sa famille, son peuple, sa terre seront l'argile du potier dont il sera le grand artisan. Mais aussi, en se faisant notre intime, il arrivait chez lui! Et nous, comme le firent nos ancêtres en l'accueillant en leur demeure, nous nous imprégnons de sa présence, puisqu'il nous fait don de cette part manquante, celle sans laquelle nous ne pouvons croître : sa vie!

Dans le même horizon de pensée, bien au-delà du quotidien, à la cime des arbres, regardez les corps cosmiques s'exécuter, mus par des polarités dynamiques qui tantôt se rejettent ou s'attirent. Le Christ aussi respecte ces mouvements de vie, pas de deux aux souffles coupés où l'œuvre et l'artiste cohabitent en un même espace, se partageant le grain sculpté sur la toile auquel la couleur s'ajoute et laisse échapper une eau que le pinceau au passage vient saisir. Il est la création pure! Fusion de son humanité avec la nôtre, avec tout ce qui la rend vraie et réelle. Bien que la cosmologie moderne réfute sans ménagement les preuves de son existence, je ne peux croire ni même envisager l'idée que son passage sur terre soit un leurre perpétué par des générations. Pour moi, cela signifierait affirmer ma non-existence.

Je m'explique : les capacités d'expression, d'écoute et de perception qu'ont développées les mystiques, les saints et les artistes au cours des siècles, toutes disciplines confondues, méritent notre considération. En y regardant de près, ces habiletés créatrices développées dans la solitude ouvrent notre conscience à plus grand et révèlent à nos sens, avec quelques intempérances parfois, non pas une abstraction de la raison, mais assurément, une expérience riche de la vie. Celle-ci laisse présager une culture de la vie spirituelle jusqu'ici inconnue ou presque des humains. Ces lumières de l'intériorité, sages pour la plupart, ont connu un foisonnement créateur ininterrompu, qu'ils ont maîtrisé par la sagesse, le silence, le doute ou la souffrance. Aujourd'hui, les amoureux de la vie, hommes et femmes qui acceptent de tendre l'oreille à leur propre finitude, ne peuvent passer outre ces millénaires d'intimité avec Dieu, de rencontres âme à âme, de mises à nu où il n'y a plus rien qui tienne, exception faite de la vie intérieure qui parle sans artifice. Nous les appelons les mystiques, les consciences éclairées. Ces êtres d'exception au creux des rochers, à l'abri de la clameur populaire, écoutent la terre respirer. Ils chantent la gloire du Christ. Au lever du jour, ils s'inclinent dans la solitude des montagnes pour mieux élever leur nature à son amour.

Dans le désordre des sens où j'ai élu domicile à Montréal, je suis, malgré tout, à l'écoute de cette musique! Un matin, un soir, une nuit, vous observez un pan d'éternité laissé au hasard sur le canapé, des moments où le temps semble suspendu. Et sans qu'on l'y invite, le Christ Jésus se découvre à vous dans les moindres fibres de votre être.

Oui, Jésus a réellement habité cette terre d'Israël et pris corps avec les gens de son époque et *a posteriori* avec nous. L'histoire ne finit plus d'en étudier les faits, d'analyser les contextes, de soupeser les preuves de son incarnation. Le témoignage de sa vie, ses enseignements et son charisme même nous ont été transmis par cette recherche minutieuse de vérité, par son Corps et par l'Esprit légué à ses proches. Ce qui est fabuleux, c'est que des siècles de guerres et d'incompréhension entre les peuples n'ont pu d'aucune façon contraindre les hommes et les femmes à boire à sa source et surtout à croire qu'il est la Lumière, la Vérité et la Vie. Comme les gares de trains, les théories se succèdent, les palais se réduisent en poussière, mais le Christ, tel un élan de feu, demeure dans notre chair, il ne passe pas notre chemin! Ce don qu'il nous offre culmine en nous et ne s'abîme point. Il est! Ces écueils que le malheur pousse sur nos rivages nous affligent. Mais, à son exemple, nous vivrons par-delà nos déchirures, non pour en être meurtris mais bien pour les transcender. Autrement, la vie n'aurait pas de sens. Et comme le visiteur que nous n'attendions plus, il se présente dans le plus grand respect, au seuil de notre âme, afin de répandre sur elle une huile bienfaisante. Comme une mère caresse son enfant, il nous soulage pour mieux nous sanctifier.

Pour certains, cette souffrance conduit au désordre; pour moi, elle est lieu de transformation, eau nouvelle qui enivre, qui m'arrache à mes habitudes obsolescentes. Quand je rencontre sur ma route le

Christ, le contact est intense. Lorsqu'il y a reconnaissance réciproque, la rencontre est foudroyante. C'est qu'il a noué son existence à la mienne dès les origines. L'alliance qu'il a scellée en ma personne s'exprime par sa complexité indicible et il me faut du temps, beaucoup de temps pour la comprendre et y voir la moindre trace de sa présence. Mais quand elle se révèle à ma conscience, à mes sens et à mon cœur, plus rien ne peut plus la déloger, malgré mon apparente cécité. Le Christ nous pousse, nous, hommes et femmes d'aujourd'hui, à saisir toujours un peu plus l'ampleur de son message et il nous invite à trouver les voies pour le rencontrer.

Je suis émerveillé de constater que les princes de ce monde, tout puissants qu'ils soient, revêtus des plus belles intentions ou les mains souillées des pires ignominies, ne peuvent soustraire au corps spirituel des chrétiens que nous formons la substance profonde du christianisme et provoquer son extermination. Et pourtant dans l'histoire de l'humanité, plusieurs s'y sont appliqués avec ardeur! Même si le pouvoir, sous tous ses traits, n'a de précieux que les relations d'intérêts qu'il tisse et convoite sans relâche, souhaitant que nous lui soyons subordonnés corps et âme, ce pouvoir, dis-je, même s'il est convoitise plutôt que service, humilité et charité, ne parvient toujours pas à arracher du cœur de l'affamé sa foi au Christ. Lors de la Deuxième Guerre mondiale, Maximilien Kolbe, un frère mineur conventuel exilé aux camps d'Auschwitz, maintenu dans des conditions de détention extrêmes, marqué par l'effroi et la faim, n'a pas hésité un instant, face à une mort imminente, à donner sa vie pour permettre à un homme de recouvrer la liberté. Quelle est donc cette force intérieure qui l'a poussé à accomplir un tel geste? Eh bien, il s'agit d'une foi absolue dans le Christ Jésus! Quand je regarde François d'Assise se dévêtir, devant l'évêque, du joug familial qui l'étouffait pour ensuite embrasser la pauvreté, je me dis que ce n'est pas l'esprit désinvolte et moqueur des soirs de fêtes qui s'exhibe ainsi nu devant son public, mais bien un homme qui a reconnu le Christ tressaillant d'amour dans sa poitrine. L'appel est si fort en lui et l'amour reçu si dévorant, qu'il n'y a qu'une seule issue possible : l'accepter.

La grâce divine m'atteint là où je ne l'attendais pas : au cœur de moi-même! Sa vérité élève l'humanité au-dessus de toute conception archétypale obsolète. Sa parole m'interpelle, fait son nid sur le contrefort de mes étroitesses. Et son amour supplante tous les raisonnements. Nous sommes des millions à le suivre et pourtant, en y regardant de près, peu le connaissent vraiment. Et ceux ou celles qui prétendent circonscrire en leurs mains la vérité de son cœur ignorent trop souvent les êtres qui l'habitent. Ces contradictions ne font que confirmer l'importance du sujet. Je suis à toi comme tu es à moi, ainsi qu'à nous tous et toutes. Comme la branche est intimement rattachée au tronc qui la soutient et la nourrit, le Christ s'est approprié mon être pour le purifier.

Quand je me suis vu choisi par lui, alors qu'il déposait sur mon visage ce baiser dont encore aujourd'hui j'assure le toucher et préserve le souvenir, j'ai acquiescé par une prière. Mais les chemins pour le rencontrer ne sont pas toujours ratissés voire perceptibles. Dans ce contexte d'introspection et de quête soutenue, il est clair que la dimension physiologique de la parole, celle que nous prononçons, continue d'occuper une place de choix dans mon travail. Cette dimension est au cœur de mon expression artistique. Elle m'inspire par son étonnante capacité d'être et de transcender la réalité. Ainsi, le corps et la parole sont la matière sur laquelle ma pensée s'appuie pour prendre son envol.

« Voyager sur des ailes de feu », écrirait Teilhard de Chardin. Cette métaphore traduit bien une part de ce que je suis; et rien de plus naturel pour moi que d'être au monde par la voie des arts. Le théâtre, la danse, la musique me permettent d'intérioriser ma foi, de l'ouvrir aux autres croyances, d'unir mon humanité à celle de mes frères et sœurs dont je ne parle pas la langue ni ne partage la table. Cette ouverture, je dirais cosmique, m'engage à aimer sans présomption. Si nous communions au respect des êtres, si nous leur donnons une place dans notre cœur, si nous osons les regarder comme un enfant comble d'affection celle ou celui qui lui tend les bras, nous réaffirmons par là notre foi. L'art n'a de sens véritable pour moi que s'il privilégie cet élan du cœur. Autrement, c'est le couper de sa source originelle.

Bach, Mozart, Messiaen, Racine, Claudel, Shakespeare, Hugo ont tenté de peindre l'invisible, de traduire la quintessence divine, d'extraire de l'épaisseur de leur être la part fugitive, vivante de Dieu. Et voyez le résultat! Devant tant de beauté, je m'incline respectueusement et je prie. L'art au service de l'amour fait des prodiges!

Toutefois, l'artiste porte encore le poids de l'incompréhension. Après tout, que fait-il pour la société? Peu, si l'on considère des champs de compétences purement traditionnels comme la médecine, le droit ou l'enseignement. Même si l'architecture, le multimédia ou l'informatique ont permis à l'art d'interroger ses choix esthétiques dans l'axe de la contemporanéité, il n'en demeure pas moins que les disciplines artistiques témoignent d'un instinct créateur puissant. Fondamentalement, je crois que l'art existe pour révéler aux humains leur propre transcendance. Il nourrit avec la philosophie, les lettres et la théologie, entre autres, une correspondance fertile et son mandat n'est pas tant d'illustrer la réalité que de la dominer de l'intérieur. Cette démarche ne rejoint pas nécessairement les masses. Et comme nous nous appliquons davantage à soigner l'apparence et l'artifice, nous oublions l'essentiel qui, lui, se cloître au travers de notre personnalité. Et c'est en elle et dans celle d'autrui que nous, les artistes, nous trouvons la sève nourricière pour construire la vie.

La scène, une fenêtre vers l'infini

En tant qu'artiste de théâtre et acteur, de surcroît, je suis confronté au défi de la représentation. Il s'agit de déployer, manifester et dévoiler devant un public la nature d'un personnage, d'un geste, d'une parole : capter sa densité, vibrer à ses caractéristiques physiques, épouser son âme, ses passions obscures, etc. Cette coalescence d'attributs physiques que l'artiste intègre dans son art n'a qu'un objectif : toucher son public au point le plus sensible et le révéler à lui-même. L'artiste en est très conscient mais, du même coup, il ignore exactement où iront se loger ses propos. La puissance de son élocution, la qualité de sa présence, la profondeur des idées véhiculées, les spécificités plastiques de son jeu et plusieurs autres facteurs constitueront son art et consacreront son travail.

Cette mise à nu de l'artiste devant un auditoire est très exigeante, voire éprouvante. Car elle offre un reflet de ce nous sommes ou de ce que nous pourrions être. Plus l'artiste est dépouillé, sans efforts pour dissimuler la vérité, plus il participe à la recréation d'une œuvre et la revêt d'un caractère poétique unique. Je crois qu'il a la grâce de toucher les âmes. Que l'artiste se réclame de Dieu ou de toute autre idéologie source d'amour, il sera l'instrument d'une volonté divine ou d'une pulsion de vie qui, elle, à travers cet artiste, trouvera la voie de la vérité et de la vertu. Si l'acte créateur peut paraître déroutant à certains égards, c'est que nous sommes alors en présence d'un esprit de vie que, moi, je reconnais être le Christ. Ce que je suis, en réalité, trouve réponse à cet appel de l'intérieur. Quand les dimensions corporelle et spirituelle de l'acteur s'épousent l'une l'autre, il n'y a aucun doute pour moi : des deux côtés de la rampe, le Christ s'exprime dans toute sa diversité.

« Non, la pureté n'est pas dans la séparation, mais dans une pénétration, plus profonde, de l'Univers. Elle est dans l'amour de l'unique Essence, incirconscrite, qui pénètre et travaille toutes choses, par le dedans[16]. » Le dedans, le vrai… C'est cela qui apeure et émeut à la fois. Qu'avons-nous à perdre dans l'aventure? Notre étroitesse d'esprit, nos résistances féroces devant la splendeur du Christ. Je regrette que bon nombre d'hommes d'Église, en Occident, éprouvent un malaise face à la réalité charnelle de l'artiste. Jadis, il était plus facile d'exclure que de comprendre. Cette incompréhension récurrente exprimée à travers les siècles, pour des motifs d'ordre moral ou théologique, a provoqué, je dirais, une scission du corporel et du spirituel. Et celle-ci n'est d'ailleurs pas étrangère à la difficulté que les chrétiens et les chrétiennes de l'hémisphère nord éprouvent à saisir la réalité physiologique, purement humaine de la foi. Pour se faire proche du Christ, parler ne suffit pas. Il faut aussi épouser sa nature à travers notre propre corps. Celui-ci est l'instrument par lequel nous nous mettons en présence de Dieu, lors de nos célébrations. Nous ne pouvons pas tous devenir des artistes, cela ne se commande pas. Mais

---

[16] *Ibid.*, p. 67.

nous pouvons tous accorder une attention particulière à la manière dont nous sommes physiquement en présence de Dieu et dont nous prions. Il ne s'agit évidemment pas ici de répéter mécaniquement des habitudes acquises depuis l'enfance. Il s'agit plutôt d'unir, d'ajuster notre condition humaine à la plénitude de son message.

Des sanctuaires de vie

Dans nos églises, je ne m'y retrouve plus. J'éprouve une grande tristesse à la seule pensée de m'y asseoir le dimanche matin. Oui, j'ai la nette impression d'assister à des funérailles et encore... La compassion n'y est même pas. Il y a une telle absence de créativité, d'expression, d'imagination que cela me brise dans ma foi, me heurte le cœur. Pourquoi? C'est sans doute une question de culture, d'approche. Ici et là émergent des oasis de vie et de prière, mais dans nos grandes cités, je ne sens que la mort et le vide. J'ai trouvé des exceptions... mais si peu. Le Christ est pourtant lumière; sa parole, le roc sur lequel je m'appuie; son peuple, ma famille dont je tire le soutien pour guider mes pas. Je pourrais dire finalement : l'unité familiale, le cœur de la société! La cellule souche! D'après certaines données scientifiques et sociologiques récentes, nous pouvons affirmer que la famille est sérieusement compromise. Or, n'est-elle pas prépondérante dans la structure sociale? Il y a là une piste de réflexion. Et nos temples n'échappent pas à ce désordre. S'il y a déclin de la pratique dominicale, c'est que les lieux de rassemblement et ceux qui les font exister ne parviennent plus à y semer la vie. Chacun arrive avec sa propre histoire, assiste impuissant à un mystère qu'il ne ressent pas ou peu et tire sa révérence, après quarante minutes d'un rituel que je dirais « statufié », tellement il laisse peu de place aux mouvements de l'assemblée, aux mouvements intérieurs des priants. Le rapport à Dieu et aux autres nécessiterait un changement de perspective. Mais pour cela, il faudrait s'ouvrir à du nouveau, s'affranchir d'impressions fausses, éloigner de notre esprit le bavardage incessant et privilégier le silence. Haut lieu du sacré et de la pensée, le silence est l'expression la plus pure de soi et du Christ. Il n'admet que ce qui lui ressemble et il a l'infini pour s'exprimer. Et si nous sommes coupés de ces réalités, nous nous retrouvons projetés hors de nous-mêmes et, conséquemment, nous parvenons difficilement à percevoir notre propre dimension intérieure en Église. Dès lors, comment pouvons-nous espérer renaître à la vie et donner à notre Église une énergie fraternelle? Encore faut-il le désirer. Quant à moi, je le souhaite plus que tout. Pour répondre à cet appel, j'ai récemment fondé une fraternité d'artistes : MissionnArt,

Faites cette expérience : chaussez vos souliers de course et éloignez-vous de la ville, un moment. Privilégiez les espaces boisés et laissez votre corps respirer librement, loin de la pollution et du bruit. Sentez l'humidité du sous-bois à la frondaison, les arômes des plantes. Touchez à la terre, adossez-vous à un arbre et palpez son écorce. Enjambez les troncs qui jonchent le sol; observez la lumière qui pénètre toute chose et cherchez à vous fondre dans l'ensemble. Détachez votre silhouette du décor qui vous entoure et captez, les bras largement ouverts, la splendeur de l'Univers qui vous embrasse. Quelle joie vous éprouverez! Étendez les bras, saisissez l'air qui vous entoure, écoutez votre cœur battre à la vie. Priez Dieu de vous bénir devant tant de magnificence. Laissez-vous aller à cet état d'euphorie. C'est une expérience que vous n'oublierez jamais.

Loin de la nature, dans un monde moderne factice bien souvent, nous oublions qui nous sommes et quelles sont les lois fondamentales qui régissent notre existence. La vie a hissé l'être humain au faîte de la création. Les connaissances acquises au cours des siècles nous permettent de comprendre et d'expliquer certains phénomènes et de repousser toujours plus loin nos limites. Quant à l'artiste, l'articulation de la vie ne lui est pas étrangère. Par définition, il est un être doué d'une sensibilité hors du commun. Il possède un pouvoir de création et de transformation. Son instrument brille par sa voix, ses membres, ses muscles, sa peau, sa sueur. Sa dimension corporelle est à la fois grammaire, langage, signe et symbole. L'artiste est un artisan de la vie. Telle est la mission que je me suis donnée : rendre compte des vérités spirituelles, mystiques, philosophiques et humaines propres à magnifier la pensée et la vie des êtres. Sans aucune prétention, je me situe sur cette frontière où le Christ a dressé son règne d'amour.

La vie

La naissance d'un être est l'expression fulgurante de la matière dans son élan inéluctable pour la vie. Celle-ci nous habite profondément depuis notre conception. De manière imprévisible, elle bouleverse notre évolution. L'effort déployé pour la préserver en nous est tel qu'au-delà du réflexe instinctif si puissant — soyez privé d'air alors que vous tentez de rejoindre la surface d'un lac où vous êtes tombé par accident! — il y a cette volonté inexorable des humains de protéger la vie. Quand un enfant gravement blessé fait irruption à l'urgence, c'est le début d'une lutte implacable pour la vie. C'est donc dire qu'elle nous est précieuse. Et encore plus précieux Celui qui nous la donne. Et il n'est rien de plus naturel, n'est-ce pas, que de vivre! À force d'un labeur soutenu, la vie finit par nous paraître si familière qu'elle nous semble éternelle. Et elle l'est, mais sur un autre plan. Quoi que nous fassions pour la laisser croître, l'en empêcher, la dérober, l'interrompre, la vie s'impose à notre nature, sans retenue, invincible. « Elle est née pour l'éternité », a écrit Carlo Caretto. Elle ne tolère guère la captivité, elle est! Elle progresse sans que nous en prenions conscience. Elle suit son cours et nul ne peut tarir son énergie. Elle a ses origines, procède d'une intention qui lui est propre et suit dans l'espace-temps une trajectoire que nous pouvons observer mais non pas contrôler. Son pouvoir de création est incommensurable.

La vie est complexe. Elle s'exprime comme autant de samares portées par le vent, ne sachant où aller mais profondément déterminées d'amener en terre la fécondité et la vie. Dès lors, toutes ces nouvelles petites vies adoptent individuellement et collectivement des stratégies de croissance qui sont à la fois prédéterminées et capables de transformation. Elles adoptent leur environnement. Aussitôt accrochées au sol, ces petites graines de vie se développent et, bientôt, elles deviendront un inextricable enchevêtrement de tissus végétaux, ouragan de matière. Cela se fait sans que l'être humain n'intervienne. C'est fabuleux. Et il en est de même pour la nature humaine. Quand nous nous interposons dans ce processus, les résultats sont peu probants.

L'anthropologie cherche à scruter les origines de la vie humaine dans la pierre fossilisée ou au creux des grottes. Mais pour les chercheurs de Dieu, rien de plus naturel que de le trouver en Galilée, où il y a vingt siècles il rompait le pain, marchait, riait avec les siens. Aujourd'hui, il importe d'abord de chercher le Christ en nous plutôt que dans la matière. Je suis pleinement conscient que l'apport scientifique est de première importance. Mais il appartient à d'autres de le voir autrement. Le Christ est venu comme un homme pour adopter notre nature et se laisser apprivoiser par les gens de son peuple. Il a conduit des hommes et des femmes à sa suite. Et leurs témoignages nous ont été transmis et révélés par des siècles d'oralité et par l'écriture : les textes sacrés. Génération après génération, le papier et la pierre se sont altérés. Le temps les a érodés. La mémoire collective, bien vivante alors, a perdu par la suite un peu de sa clarté. Pénétrer le sens de ces textes devient donc aujourd'hui une science, à laquelle la majorité ne peut accéder facilement. Mais il est une chose qui n'a pas changé, un mot, doux zéphyr, joyau des lèvres de l'Orient, qui a franchi les océans et esquivé les luttes fratricides. Cette fleur précieuse venue jusqu'à nous ouvre notre esprit au sublime que sa seule présence bouleverse : l'amour du prochain.

L'art

Dans la « création artistique », l'homme se révèle plus que jamais « image de Dieu », et il réalise cette tâche avant tout en modelant la merveilleuse « matière » de son humanité, et aussi en exerçant une domination créatrice sur l'univers qui l'entoure. L'Artiste divin, avec une complaisance affectueuse, transmet une étincelle de sa sagesse transcendante à l'artiste humain, l'appelant à partager sa puissance créatrice. [...] C'est en vivant et en agissant que l'homme établit ses relations avec l'être, avec la vérité et avec le bien. L'artiste vit une relation particulière avec la beauté. En un sens très juste, on peut dire que la beauté est la vocation à laquelle le Créateur l'a appelé par le don du « talent artistique ». [...] Nous touchons ici un point essentiel. Celui qui perçoit en lui-même cette sorte d'étincelle divine qu'est la vocation artistique — de poète, d'écrivain, de peintre, de sculpteur, d'architecte, de musicien, d'acteur...— perçoit en même temps le devoir de ne pas gaspiller ce talent, mais de le développer pour le mettre au service du prochain et de toute l'humanité. (Jean-Paul II, *Lettre aux artistes*, avril 1999)

Rien de plus naturel, pour un artiste, que de pratiquer son art et, pour le chrétien, de vivre sa foi. Pour moi, il s'agit d'un heureux mélange des deux. Je me sens appelé à servir le Christ et la communauté par le théâtre, la danse, la musique. Cette mission s'enracine dans un élan intérieur irrésistible que le regard social et la famille n'ont pu détourner. Le théâtre m'a fait comprendre et sentir cet appel et le sens profond que je devais lui donner dans ma vie.

Marcher avec lui

Rien de plus naturel, pour un religieux ou un prêtre, que de donner sa vie pour le Christ. Mais vivre cet idéal, comme artiste, avec les responsabilités familiales qui sont les miennes, est un défi de chaque jour. Concilier la foi, l'art et la famille, relève de l'exploit, pour ne pas dire du miracle de la foi! Mon expérience du Christ se situe sur cette pente escarpée et fragile qui à tout moment risque de s'effriter sous mon propre poids. Cette réalité exige que je sois ancré dans l'Évangile pour ne pas tomber. Ma capacité de réagir aux événements me fournit une base sur laquelle je peux construire.

Mes expériences professionnelles avec Robert Hossein, François d'Assise, Job, l'Oratoire Saint-Joseph, Émilie Gamelin, Thérèse de Lisieux et combien d'autres ont donné un sens à mon existence. En les côtoyant de près, je me suis senti peu à peu investi d'une dimension intérieure auparavant inconnue : celle de grandir et de faire grandir. J'estime qu'il est urgent que nous prenions en main notre destinée spirituelle centrée sur le Christ, lequel est amour inconditionnel. Pour ceux et celles qui ne le connaissent pas, que votre vie n'ait de vérité première que celle puisée dans l'amour et vous marcherez à ses côtés. Chaque création artistique me donne l'occasion de parfaire ma foi et de grandir en sa connaissance. Les êtres d'exception que sont François d'Assise, Thérèse de Lisieux, John Main, Thomas Moore, Khalil Gibran, Saint-Exupéry, pour ne nommer que ceux-ci, apportent à l'humanité des pistes de réflexion et un regard neuf sur la vie. Nous devrions les écouter. En entrant dans leur histoire, je prends part à leurs découvertes. Ils utilisent des parcours inattendus, surprenants parfois, et j'aime ces rencontres fortuites. Et nous ne sommes pas les seuls à prendre ces chemins accidentés. Le Christ emprunte aussi ces sentiers. Qui les suit sentira assurément son regard posé sur lui. Sa présence apaise toujours et réconforte.

Et pourtant… L'angoisse, ce mal obsessionnel du XXe siècle, prend de l'ampleur. Il a également des racines dans l'histoire ancienne. Le Pauvre d'Assise en a fait la triste expérience. Sans aucune distinction, elle coiffe les plus avertis. Même les esprits le plus vertueux n'ont pu éviter ses pièges. Elle semble inscrite dans la nature humaine. La pureté sera toujours voisine de la malice et l'intelligence, un fétu de paille accroché à l'épaule des fous. Le pendule tire son mouvement de ses extrêmes. Je crois qu'il y a tout de même un équilibre à rechercher, même s'il faut y mettre sa vie pour l'atteindre.

Pour un artiste, entrer dans ces sentiments extrêmes et les vivre sur scène est très exigeant. Mais cette expérience professionnelle est riche d'enseignement. Il n'y a pas que des méchants et des bons, entre les deux, il y a tout un éventail de sentiments à saisir. Pour moi, ces mages de l'amour, plus que tous les autres, font évoluer les consciences. À vivre à leurs côtés, on en revient changé! N'est-ce pas le but de l'art, d'irriguer notre âme et de la soustraire aux abstractions futiles de la vie?

Je suis fils de la terre et mes labours n'ont plus de secret pour Lui. Je ne cherche pas à l'égaler ni même à obtenir ses faveurs. Je suis irrésistiblement attaché à sa vie et ne veux point m'en défaire. Cet homme, que je n'ai jamais rencontré, a marqué ma destinée en déposant sur mon visage la preuve de son amour. À ce Christ Jésus, je donne ma vie, comme d'autres l'ont fait avant moi. Il est vrai que mes chemins ne sont en rien comparables à ceux des Vincent de Paul, Martin de Tours, Paul de Tarse, Rosalie Cadron-Jetté. Je ne suis pas non plus l'abbé Pierre ou le frère André. Mon apostolat est l'art : *Advegnat Regnum Tuum*. Avec les Apôtres, les fondateurs et les fondatrices d'ordres religieux, et avec mes frères et sœurs de tous les pays, je me suis engagé à la suite du Christ pour vivre un témoignage de foi qui soit authentique. Dans cette Église en détresse, au cœur des nations, je serai l'architecte. L'art aime voir au-delà des portes closes, et partout où la vie prend racine, j'y serai et Dieu sera là pour donner la sienne.

Ce n'est pas chose facile tous les jours. Mon parcours est jalonné d'embûches. Plusieurs fois, j'ai voulu tout abandonner. Mais au détour du chemin, alors que j'étais égaré et confus, un être d'exception m'attendait. Toujours le même! La main tendue vers moi, il me demandait de l'étreindre affectueusement. Il me relevait souriant et m'invitait à reprendre la route, à garder la tête haute, face au vent, face à la vie… face à Lui!

Avec **Louise Brissette**, nous avons la preuve que la volonté, la détermination et la foi permettent vraiment de déplacer les plus hautes montagnes. Mère adoptive de 28 enfants lourdement handicapés, elle est de la race de ceux et celles qui sont taillés dans le roc sans en avoir l'insensibilité. Au chapitre de ses réalisations, il faut noter la fondation de « la Petite école » maintenant appelée une « École sur le monde ».

Elle dirige admirablement l'Œuvre des enfants d'amour qui voit au bien-être de tous les enfants qui lui sont confiés. Depuis 1994, elle organise à chaque solstice d'été, sur les terrains d'un domaine qu'elle habite à Saint-Anselme, au sud de Québec, le Congrès des mongols... fiers, une fête de la différence et de la joie de vivre en même temps qu'une belle illustration de son sens de l'humour. Et il en faut sûrement pour s'occuper comme elle le fait de ces « cadeaux mal emballés » comme elle appelle ces enfants qui n'ont pas choisi de venir au monde ainsi. Tous les articles et les témoignages parlent d'elle comme d'une « femme particulièrement généreuse et au caractère inoubliable ». Tout ça, pour une femme qui n'est pas plus haute que trois pommes et demie !

Oui, simplement la vie

… La vie qui nous appelle à prendre notre envol vers des horizons qui se perdent dans l'infini.

… La vie que nous accueillons goutte à goutte dans la grandeur et la simplicité du quotidien.

… La vie qui mène au–delà de nos rêves.

Les pieds bien enracinés dans la réalité, je suis fascinée par la vie, par cet absolu, cet infini qui m'anime et m'interpelle depuis que j'existe. Mon histoire sainte se tisse au fil des jours, des événements et des rencontres.

La foi en héritage

La confiance est l'instinct premier de la foi. Chez l'enfant, elle est spontanée. Il est convaincu qu'un « amour » veille sur lui. J'ai baigné dans cette atmosphère de confiance dès mon enfance.

Je suis née à Plessisville, au Québec, avant-dernière d'une famille de trois frères et de deux sœurs. Mes parents nous faisaient confiance. Ils comptaient sur la parole donnée. Tenir sa parole était sacré! Chaque fois que je voulais expérimenter une nouvelle avenue, mes parents me soutenaient. Ils m'aidaient à réaliser mes projets, même s'ils étaient parfois idéalistes et très fous.

Le respect de la parole donnée est un véritable cadeau reçu de ma famille, avec d'autres valeurs sûres « monnayées » au quotidien : le respect des autres, la franchise, le partage et surtout l'accueil. Chez mes parents, l'accueil était sans faille : un de plus à table et souvent plus d'un… Quand il ne s'agissait pas de cuisiner des tartes pour l'aumônier et sa troupe ou autre chose encore… Le service dans la gratuité, malgré des conséquences parfois fâcheuses, c'était la vraie vie!

Dans ma famille, la prière avait une place importante. Toute petite, je ne laissais pas toujours mes poupées avec empressement pour aller prier avec le reste de la famille. Mais pour moi, cette activité faisait partie de la vie. Quand la famille ne pouvait pas se réunir pour la prière quotidienne du soir, il me manquait quelque chose. À cette époque, je n'avais pas d'autres dieux que mes parents. Je connaissais leur puissance et je savais qu'il fallait obéir, mais je n'en avais pas peur. J'étais liée à eux par une dépendance créatrice. Ils me faisaient confiance et je leur faisais confiance.

C'est ainsi que mes parents m'ont transmis la foi. Ils m'ont appris que nous ne sommes pas parfaits, mais que nous devons marcher vers la sainteté. Ils ont vécu ainsi tout au long de leur vie. Ils ont été pour moi des exemples d'amour, de don de soi et d'accueil des plus petits. Il est donc bien normal pour moi, aujourd'hui, d'être la mère de vingt-sept enfants. Au fond, j'ai suivi les traces de mes parents.

Enfant, j'ai toujours été impressionnée par les missionnaires qui venaient à l'école parler de leur travail en pays étrangers. Je suis restée marquée par ces femmes et ces hommes qui quittaient leur pays pour donner leur vie au service des plus pauvres. Ce qui me frappait le plus, c'était les histoires d'enfants qui étaient seuls dans la vie. Je me disais : « Ça s'peut pas! Il faut vraiment faire quelque chose! » J'espérais qu'un jour, je pourrais aider ces enfants abandonnés, démunis et seuls, dans la rue comme dans la vie. Je priais Dieu de les bénir et de les protéger.

Ouvre tes ailes

La vie propulse en avant. Vivre à pleins rêves… Les rêves les plus fous ont raison. Ce ne sont pas les grands désirs qui sont faux, mais ce qui les étouffe : nos aveuglements, nos peurs, nos médiocrités. Par leurs racines, nos rêves plongent dans l'éternel de Dieu.

Peu après mon adolescence, un éclatement de l'infini s'est produit en moi. J'ai choisi de faire des études en physiothérapie en rêvant de traiter des enfants. J'étais bien loin de savoir où cela me mènerait. À vingt ans, je voulais voir le monde et relever des défis, aller au bout de mes limites et même les dépasser. Moi, ce qui m'intéresse, ce n'est pas la mesure mais la démesure! Ce n'est pas tant la prudence que l'imprévoyance… Non pas dans le sens de ne pas réfléchir, de ne pas prévoir, mais plutôt dans le sens de faire entièrement confiance à la vie et à Dieu. C'était clair, alors je l'ai fait!

Après quelques années de travail comme physiothérapeute, j'ai décidé de faire une pause. C'était la grande aventure vers le bout du monde : de Plessisville jusqu'à la Terre de Feu, en moto! Nous sommes partis à trois, chacun sur sa moto. Le premier soir de notre voyage, nous étions trempés sous la pluie… et il a plu ainsi pendant deux mois! Mais nous, nous riions. Cette aventure est au nombre des expériences qui m'ont menée à ma vie d'aujourd'hui. Quand on choisit la route étroite, elle est toujours belle parce qu'on l'a choisie. Le voyage en Amérique du Sud était un choix. Que vienne alors la neige ou la pluie, nous avions décidé de nous rendre à la Terre de Feu. Peut-être pas envers et contre tout — nous n'étions pas téméraires à ce point-là — mais c'était possible de le faire et nous l'avons fait.

Cette expérience m'a permis d'avoir confiance en la Vie, avec un grand « V ». Nous n'avions rien à vendre, mais nous étions avides de contacts humains, simples mais combien riches! Nous avons peu donné et beaucoup reçu au cours de ce voyage. Il a été fertile en expériences humaines. Nous avons rencontré un grand nombre d'enfants et, par eux, nous avons rejoint les autres membres de leur famille. Les enfants ont été notre porte d'entrée vers les adultes. Ce voyage en Amérique du Sud a duré six mois.

À mon retour, j'entends dire que les Œuvres du cardinal Léger ont besoin d'une physiothérapeute en Afrique. Un mois plus tard, je suis au Cameroun. Encore une fois, je me trouve confrontée à la réalité d'enfants déracinés de leur milieu pour être traités. La chose devient encore plus claire pour moi : il est criminel de laisser un enfant sans foyer.

Le désert

J'ai fait une autre expérience de l'Afrique en traversant le désert du Sahara, avec mon amie Marie-France. Le désert m'a toujours fascinée, j'ai toujours rêvé de voir le désert. *Le Petit Prince,* de Saint-Exupéry, est un de mes livres de chevet. Je trouve son histoire tellement captivante. Après avoir parcouru le Maroc, nous nous sommes retrouvées aux portes du désert. Plusieurs personnes ont alors tenté de nous dissuader d'entreprendre un voyage aussi périlleux pour deux femmes seules. Ça ne se faisait pas. Mais pour moi, plus le défi est grand, plus il semble impossible et plus il est attirant! Nous avons donc décidé de tenter l'aventure.

Il n'y a pas de route dans le désert et nous avons vite perdu notre petite boussole. Tant bien que mal, nous suivons les pistes déjà tracées par les jeeps. Notre but : Tamanrasset, en Algérie. Parfois, des indications nous rappellent — mais pas très souvent — que nous sommes sur la bonne voie. Nous traversons des oasis. En dépit de beaucoup de difficultés, de risques, d'épuisement, nous parvenons à Tamanrasset. Nous n'atteindrons pas l'ermitage de Charles de Foucauld, car notre véhicule est tombé en panne.

Malgré tout, je garde un bon souvenir du désert. C'est un endroit merveilleux. Je me rappelle avoir gravi une dune. J'étais si petite sur son dos immense… Autour de moi, l'horizon s'étendait à perte de vue. Du sable… Le ciel bleu… Le ciel étoilé… Il y avait tellement d'étoiles dans la nuit qu'il était difficile de croire que nous pouvions voir les mêmes chez nous!

Le désert est aussi l'occasion d'un voyage à l'intérieur de soi. Je me suis retrouvée moi-même dans cette immensité. Comme un petit grain de sable qui se laisse modeler. C'est peut-être cette souplesse du désert qui est attirante. Je suis toute petite, mais je fais vraiment partie de cet Univers. Avec le petit prince, j'ai découvert l'essentiel.

Dans le désert, on trouve aussi de merveilleux paysages… Qu'elles sont belles, ces montagnes de sable! Et quand on débouche sur une oasis toute verte, remplie d'eau et de vie, c'est miraculeux! Après la chaleur, la fatigue, la soif, chaque oasis apparaît comme la « Terre promise » où coulent le lait et le miel. Et c'est un miracle qui régénère l'être tout entier !

L'enfant, un sacrement de Dieu

Le royaume de Dieu est semblable à un enfant qui, sac au dos, s'en va dans la nature avec un camarade. Certains entrent en communion avec Dieu par la beauté ou la justice. Moi, je communie à lui par le sacrement de l'enfance. C'est à partir de ma compassion pour les enfants handicapés que j'ai décidé d'en adopter un. Cette expérience a été si belle et si grande que j'ai finalement décidé de lui donner une petite sœur… puis beaucoup d'autres frères et sœurs. Aujourd'hui, ma famille compte vingt-sept enfants.

Mes enfants, ma richesse[17] ! C'est par eux que je suis évangélisée. L'enfant est un parfait sacrement de Dieu. S'il apporte la fraîcheur, la transparence, la confiance, c'est par pure grâce, sans aucun mérite. À travers lui, Dieu se rend sensible sans confusion possible. L'enfant a le même regard que le Créateur au premier matin du monde : « Et Dieu vit que tout cela était bon. » Dans sa foi inconsciente, l'enfant s'offre à la vie. Pour lui, tout est beau. Il attend tout de tout. Son secret : l'insouciance dans la confiance.

Mes vingt-sept enfants et moi, nous vivons à la campagne dans un environnement merveilleux. Dans cette grande maison familiale, dans cette École sur le Monde, les jours filent dans l'harmonie et la joie. Entourés de bénévoles dévoués et de personnes-ressources, les enfants grandissent et s'épanouissent. Notre vie est loin d'être routinière, même si nous semblons faire toujours les mêmes choses : lever les enfants, changer les couches, les habiller, les faire manger, jouer avec eux, les laver et les mettre au lit… C'est toujours nouveau quand on aime. Comme l'eau qui coule de la source et n'est jamais la même. La nature qui nous entoure n'est jamais elle non plus tout à fait la même. Les enfants non plus ne sont jamais les mêmes. Ils changent, ils grandissent. Garder les yeux ouverts, c'est apprendre à découvrir dans les enfants, autour de nous et en nous les belles choses qui nous sont

---

17   Livre rédigé en collaboration avec Josée Latulippe, Ottawa, Novalis, 1995, 148 p.

données : le chant des oiseaux le matin, le sourire de Christine, la caresse de Louis-Étienne qui nous serre dans ses bras jusqu'à nous étouffer, l'espièglerie d'Emmanuel qui fait rire tout le monde. Notre vie est composée de mille merveilles. Nous n'avons qu'à les récolter! Chaque jour amène avec lui son lot de petits bonheurs.

Mais qu'en est-il des problèmes et des souffrances? Bien sûr, il y a des jours plus pénibles. Les enfants sont tous handicapés et vivent d'importants problèmes de santé. Des bébés doivent être opérés à cœur ouvert et donc hospitalisés durant de longues périodes. Il y a des moments de tristesse et d'épreuves, mais ils ne nous rendent pas malheureux. C'est une autre traversée du désert...

Les journées ne sont pas vraiment difficiles, il y a tant à faire : des bébés à consoler, des repas à préparer, des vêtements à laver. Mais elles pourraient le devenir si nous vivions dans la culpabilité, le stress, le manque d'abandon et le repli sur nous-mêmes. Quand on se confie à Dieu, on arrive à dépasser ses limites, à faire des choses extraordinaires. On ne peut pas être malheureux, il y a une solution à tout. Il faut faire confiance, sans tenter de défoncer des portes. Je fais tout ce que je peux pour résoudre les difficultés... après, je fais confiance. La bonne personne ou la bonne solution se présente toujours. Il s'agit de ne pas vouloir aller trop vite et de prendre le temps de réfléchir. Quand ça devient clair, on le fait! Inutile de dire : « S'il fallait que cela arrive... » On ne ferait jamais rien. Une fois l'acte accompli, si je commence à dire : « J'aurais dû... », je me rends malheureuse. Je vis le moment présent et j'essaie de voir les choses telles qu'elles sont, sans me créer d'inquiétudes ou de problèmes inutiles. Cette façon de vivre me permet de faire face, sereinement, à n'importe quelle situation. À travers ces petits combats de la vie, je m'affermis et je m'épanouis.

Il peut être un peu fou de faire confiance à Dieu à ce point-là. Je lui confie tout, même les comptes! Je me dis alors un peu innocemment : « Les comptes, ce n'est pas ma responsabilité. Il veut que j'aie beaucoup d'enfants, c'est à lui de payer. Qu'il se débrouille pour trouver une main secourable, providentielle, qui nous aidera à boucler les fins de mois! » Ça peut paraître fou, dans le monde moderne, de ne pas se casser la tête pour l'argent! Mais moi, je me dis que lorsqu'on aime quelqu'un, on lui fait confiance. Et Dieu ne manque jamais à sa parole. Il a dit qu'il serait toujours avec nous et qu'il nous voulait heureux? Alors...

Il y a, bien sûr, des jours sombres, mais pas au point de me dire intérieurement : « Je n'en peux plus! » Je fais confiance à l'Amour qui est une personne, ce Dieu de la vie qui m'a appelée. Il m'a toujours soutenue dans cette œuvre qui me dépasse. Devant un problème, je n'abandonne pas, « je » m'abandonne. C'est la même chose pour les enfants. Nous apprenons à surmonter nos difficultés, sans nous laisser écraser par elles. Cette route qui forme pour la vie n'est pas facile. Il faut que chacun et chacune y mette du sien, apprenne à aider l'autre et à partager. Ce n'est pas toujours aisé, les enfants rouspètent un peu, comme tous les jeunes de leur âge, et c'est normal. Mais pour nous tous, la vie de famille, la maison familiale, c'est vital! Nos liens sont très forts. Nous avançons ensemble, en respectant le rythme de chacun. Nous nous enrichissons les uns les autres et nous grandissons en tolérance et en patience dans l'acceptation de nos différences. Bref, nous grandissons dans l'amour.

La terre, un seul pays

Oui, je le crois, la terre n'est qu'un seul pays! Pourquoi ne serions-nous pas une seule et grande famille? C'est aussi le rêve de Dieu : rassembler dans son amour tous ses enfants dispersés... Au fil des ans, mes enfants m'ont appris que nous ne formions qu'une famille dans l'Amour. Je m'en rends compte à travers notre vie au quotidien. Mes enfants sont différents les uns des autres. Chacun, chacune arrive avec son bagage personnel et nous l'aimons tel qu'il est. J'ai des enfants dont les parents sont originaires de l'Espagne, du Liban, de la Russie. J'en ai également quelques-uns dont le père est Africain... Oui, nous ne sommes qu'un seul pays, qu'une seule famille!

Je prends conscience aussi du lien très profond qui unit les membres de ma famille à un grand nombre de personnes, surtout à l'occasion du baptême de l'un ou l'autre de mes enfants. Ces grandes fêtes sont toujours des occasions de rencontres. Avec les parents et les amis, les membres de la communauté chrétienne de Saint-Anselme, nous formons vraiment une seule et même famille. Après de telles célébrations de joie, je me sens appuyée, soutenue et bien entourée, partie prenante d'un même corps. Des gens d'un peu partout sont rassemblés dans un même esprit… Peu importe d'où ils viennent, ce qu'ils font, dans quelles voitures ils roulent. L'important, c'est d'être. Tout simplement. Comme le disait si bien le renard au petit prince : « L'essentiel est invisible pour les yeux. » Les enfants ne cessent pas de nous l'apprendre.

La terre, un seul pays! Nous l'avons expérimenté avec les enfants et les bénévoles, lors de notre pèlerinage à Rome, en 1994, durant l'année de la famille. Nous faisions Église. J'ai été particulièrement touchée par nos rencontres avec mère Teresa et Jean-Paul II. Accessibles et profondément humains, ils sont convaincus de l'amour de Dieu. Leur radicalisme pour l'Évangile et leur passion pour le Christ m'ont rejointe en profondeur. Oui, nous faisions vraiment Église.

Notre grande épopée romaine m'a fait grandir. J'ai appris à accueillir encore davantage et sans condition les enfants handicapés et leurs parents. Comme équipe, je crois que nous nous sentons encore plus solidaires les uns des autres et solidaires du monde. Nous sommes là pour nous épauler et pour être, ensemble, cette Église accueillante, pleine de respect et d'amour vrai, dans le monde d'aujourd'hui.

Toujours plus loin

Quand je regarde en arrière, après plus de vingt-cinq ans vécus avec mes enfants, je m'aperçois que la route continue et qu'elle me saisit toujours davantage. Suis-je encore la même? Ai-je beaucoup changé depuis que j'ai adopté un petit garçon du nom de Jean-Benoît? Je ne le crois pas. Déjà très jeune, j'étais amoureuse de la vie et des enfants. Quand je regarde ma vie aujourd'hui, je constate qu'elle répond vraiment à mes aspirations profondes. Dans ma jeunesse, j'avais cette image de la vie : je marche, baluchon sur l'épaule, et je m'arrête lorsque je rencontre des gens dans le besoin. Je leur donne un coup de pouce, nous échangeons, nous partageons ce qui est l'essentiel, les choses intérieures… et je repars, toujours en marche. Voilà ce que j'ai vécu et ce que je continue de vivre.

Si je suis restée la même Louise pour ce qui est de mes valeurs et de mes aspirations profondes, j'ai beaucoup mûri grâce à mes enfants. Ils m'ont fait découvrir réellement l'amour du Christ, l'accueil, la solidarité. Ils m'ont appris l'importance de ne pas avoir d'habitudes. Dans ma jeunesse, je n'en avais pas. J'étais prête à découvrir le monde. Aujourd'hui, mère de vingt-sept enfants, je suis loin d'être ancrée dans la routine… Pas de vieilles habitudes qui finissent par paralyser!

Je vis ma vie au quotidien, jour après jour. Chaque matin, la joie l'emporte sur la tristesse, le découragement et les difficultés. Avec mes enfants, je profite de chaque instant de chaque jour qui passe. Leur abandon à la vie est aussi mon espérance et ma joie.

Avec mes enfants, j'ai appris que la vie ne ressemble pas à ce que racontent les livres ou notre imagination. La vraie vie est dans ce que font nos mains, ce qu'il faut pétrir et recommencer. C'est un peu notre pain quotidien. Pour le rompre, le partager et le goûter, nous devons mettre la main à la pâte. La vie est cette volonté farouche de recommencer. La vie est aussi cette magie que les enfants portent en eux et qu'ils expriment souvent de façon cocasse. Elle est aussi un pèlerinage sur une route, chaque jour pareille, chaque jour différente. Un pas après l'autre, elle nous mène vers le Dieu-tendresse qui nous tend la main. Oui, simplement la vie!

Jean-Paul Desbiens est né à Métabetchouan, au Lac-Saint-Jean, en 1927. Il entre chez les Frères Maristes en 1941. Frappé par la tuberculose en 1946, il restera six ans en repos forcé. Il en profitera pour se doter d'une solide culture classique. En 1958, il obtient une licence en philosophie de l'Université Laval et, en 1964, un doctorat en philosophie après des études à Rome et à Fribourg. Il enseigne pendant trois ans puis devient fonctionnaire au ministère de l'Éducation du Québec (1964-1970). On le retrouve ensuite éditorialiste en chef au quotidien *La Presse* de 1970 à 1972. Puis il est nommé directeur général du campus Notre-Dame-de-Foy (1972-1978; 1986-1990). Il occupe la charge de supérieur provincial des frères Maristes de 1978 à 1983.

Jean-Paul Desbiens a écrit des centaines d'articles dans divers journaux ou revues et prononcé un grand nombre de conférences sur l'éducation, la politique, la religion. Il a aussi publié quelques livres, dont les fameuses *Insolences du frère Untel* (1960), à l'aube de la Révolution tranquille, et ces récents *Journaux personnels*. Il a reçu deux doctorats d'honneur en 1983 et 1987.

Credo

*Histoire juive. Des enfants jouent à cache-cache. Tout à coup,
l'un d'eux vient trouver son grand-père en pleurant : « Je joue
à cache-cache et personne ne me cherche. » Et le vieux rabbin
se mit à pleurer, lui aussi.*

Dans l'introduction au *Traité fondamental de la foi*, Karl Rahner écrit :

> Qu'est-ce qu'un chrétien et quelle est la raison qui aujourd'hui
> rend possible de donner corps à l'être-chrétien, en toute probité
> intellectuelle? La question part du fait de l'être-chrétien, même
> si celui-ci, en chaque chrétien aujourd'hui, présente, encore
> une fois, bien des différences, une diversité conditionnée par
> le degré personnel de maturité, l'extrême disparité de notre
> situation sociale, et partant aussi religieuse, les particularités
> psychologiques, etc. Mais c'est aussi ce fait qui doit être ici
> objet de réflexion; et il doit se justifier lui-même devant notre
> conscience de la vérité, en « rendant raison de l'espérance qui
> est en nous »[18].

Rahner emprunte les huit derniers mots de ce passage à saint
Pierre : « Soyez toujours prêts à vous défendre devant
quiconque vous demande raison de l'espérance qui est en
vous, mais avec douceur et crainte » (*1 Pierre* 3, 15-16). Saint Pierre a
écrit ou dicté cette épître vers 62-64. Il s'adressait à des chrétiens et
chrétiennes d'origine païenne et de provenance modeste. Pour les
fidèles auxquels saint Pierre demandait d'être toujours prêts à rendre
raison de leur espérance, il ne s'agissait certainement pas d'exiger de

---

[18] Paris, Éditions du Centurion, 1983.

leur part un plaidoyer, une argumentation, une démonstration d'ordre intellectuel. Il s'agissait de bien plus : de faire face à une hostilité grandissante et universelle. En clair, c'était au début de l'ère des persécutions légales, officielles. Il s'agissait d'être prêts à affronter la mort en témoignage de sa foi.

Dire sa foi, signer un « ce que je crois » présente des difficultés sur le plan de l'expression, mais ce problème est négligeable. Il suffit de ne pas parler au-dessus de son instruction. Il en va autrement sur le plan de la vérité. Paraphrasant Jeanne d'Arc, je dirais : « Si j'ai la foi, Dieu m'y garde! Si je ne l'ai pas, Dieu m'y mette! » Je pense surtout à saint Jacques : « *Estote factores Verbi* » (*Jacques* 1, 22). Si l'on traduit littéralement, on obtient : « Soyez les fabricants, les fabricateurs de la Parole. » Il s'agit alors de ne point parler au-dessus de sa conviction. Et la mesure de sa conviction, c'est la mort. Domenach le sentait quand il écrivait (je cite de mémoire n'ayant plus l'ouvrage sous la main) : « Si l'on n'est pas sous la hache du bourreau, il y a une certaine facilité, pour ne pas dire impudeur, à professer sa foi. » Mais même en péril de mort, Jésus lui-même n'a-t-il pas dit : « Lorsqu'on vous conduira devant les synagogues, et les magistrats et les pouvoirs, ne vous mettez pas en souci de ce que vous répondrez ni comment, ou de ce que vous direz, car le Saint-Esprit vous enseignera à l'heure même ce qu'il faut dire » (*Luc* 12, 11-12).

Bien en deçà de ce suprême témoignage, rendre compte de sa foi ne peut pas vouloir dire se sentir capable d'exposer même sommairement l'immense réflexion théologique et spirituelle élaborée depuis les Pères de l'Église jusqu'à la plus récente encyclique de Jean-Paul II. Il ne s'agit même pas de vivre sa foi comme les tout premiers chrétiens, selon le tableau idyllique qu'en donne saint Luc dans les *Actes* (4, 32-36). On sait d'ailleurs qu'avant cette description même, saint Paul avait été amené à dénoncer sévèrement la manière de célébrer l'eucharistie par des groupes de chrétiens. Que l'on songe aussi à la conduite d'Ananie et Saphire (*Actes* 5, 1-11) ou encore aux reproches sarcastiques de saint Jacques (2, 1-4).

Le présent ouvrage contient une quinzaine de témoignages sur le modèle de ceux que Grasset a publiés dans la collection « Ce que je crois » où l'on trouve des exposés de personnes croyantes, mais aussi incroyantes[19]. Cette remarque m'amène tout de suite à dire qu'il est impossible d'évacuer toute forme de foi. Ainsi, il faut bien que je croie que la vie existe sur cette planète depuis des dizaines de millions d'années. Ou encore que l'étoile la plus proche est située à 40, 6 trillions de kilomètres de la terre. Plus radicalement, je crois que je suis le fils de mon père et de ma mère. Je le crois, dis-je, et il ne s'agit aucunement d'une foi surnaturelle. Il vaut la peine d'écouter ici saint Augustin :

> Quelle infinité de choses je crois sans voir, sans être là quand elles arrivent! Tant de l'histoire des peuples, tant de régions et de villes que je n'ai jamais vues, tant et tant sur la parole d'amis, de médecins, de telles et telles gens! À moins que de les croire, on ne ferait rien, ce qui s'appelle rien, en cette vie. Pour finir, je me rappelle, et c'est, combien ferme, une conviction ancrée dans mon âme, de quels parents je suis né, et le moyen que je le sache à moins que de croire comme j'ai ouï dire[20]?

La foi surnaturelle n'est pas un savoir au sens où l'on reconnaît le savoir d'un médecin, d'un scientifique, d'un théologien, d'un historien. La foi n'est pas non plus une évidence. L'évidence périme toute foi, même la foi surnaturelle. Saint Paul le déclare expressément (*1 Corinthiens* 13, 13). La foi n'est pas non plus un sentiment. La foi est une certitude[21].

---

[19] On y a publié Jean Fourastié, Maurice Clavel, Gilbert Cesbron, Jean Guitton, André Maurois, Jean-Marie Domenach, Françoise Giroud et une vingtaine d'autres personnalités.

[20] *Confessions,* traduction de Louis de Mondalon, Éditions de Flore, 1950.

[21] J'oppose ici sentiment et sentimentalisme et, plus encore, émotion. Alain note : « Ce qui reste, dans le sentiment, d'émotion et de passion, surmontées mais frémissantes, est la matière du sentiment. Exemples : la peur dans le courage, le désir dans l'amour, l'horreur des plaies dans la charité. On aperçoit que le sentiment est la source des plus profondes certitudes. »

Parlant de certitude, je le fais avec « douceur et crainte » comme le recommande saint Pierre. Je dis quand même que je n'ai jamais connu de crise de foi, comme en ont connu des personnages célèbres et même des saints et des saintes. Thérèse de Lisieux, pour n'en nommer qu'une. Crise de foi, je veux dire ces périodes plus ou moins longues de naufrage spirituel, de traversée dans une nuit « privée d'étoiles ». Je n'ai jamais connu non plus de ruptures dans ce qu'il faut bien appeler ma « pratique religieuse ». À l'inverse, je n'ai jamais connu d'illuminations foudroyantes et décisives, comme celles que rapportent saint Paul et, plus proches de nous, Paul Claudel, Charles Du Bos, André Frossard et combien d'autres. Je n'ai même pas souvenance d'avoir connu des moments d'exaltation religieuse. Et si j'en ai connu, je les assimile à des émotions passagères. Je pense bien toutefois que ma foi s'est développée, qu'elle est plus éclairée[22] maintenant que quand j'étais enfant, adolescent, ou même bien engagé dans la quarantaine !

Vers l'âge de quatorze ou quinze ans, par exemple, j'ai entendu la remarque de Voltaire :

> L'univers m'embarrasse et je ne puis songer
> Que cette horloge existe et n'ait pas d'horloger.

Cela sonnait pour moi comme une preuve « indéfonçable ». Mais pour s'en tenir au seul XXe siècle, on serait tenté de répondre que l'Horloger ne s'est guère occupé du fonctionnement de l'horloge. Cela pose le problème de la foi et du doute ; de la foi et de l'horreur du mal. Bref, cela pose le problème du « silence de Dieu » qui interloque l'être humain depuis Job jusqu'à Camus. Là-dessus, Guitton écrit : « L'absurde et le mystère sont les deux solutions possibles de l'énigme qui nous est proposée par l'expérience de la vie[23]. » Je reviendrai sur cette question.

---

22 Je note une fois pour toutes qu'il est difficile de dire sa foi au plus près de soi. Je viens de dire que ma foi est présentement plus « éclairée ». J'aurais pu dire plus « instruite », plus « sophistiquée », mais je ne pense justement pas avoir une foi sophistiquée. Et je n'ai rien, mais rien contre la « foi du charbonnier ».

23 J. GUITTON, *L'absurde et le mystère,* Desclée de Brouwer, 1984.

Si l'on fait l'analyse grammaticale de l'expression « Ce que je crois », on trouve les éléments suivants :

ce : pronom démonstratif neutre, singulier;

que : pronom relatif;

je : pronom personnel;

crois : première personne de l'indicatif présent du verbe croire.

Mais l'objet de ma foi ne s'exprime pas par un pronom démonstratif. Je crois en Dieu; je crois en Jésus; je crois en l'Esprit. Je crois à l'Église catholique, à la vie éternelle. Je pourrais transcrire ici le symbole des Apôtres. Je le récite tous les matins dès que je mets le nez dehors. Chaque article de ce Credo est une affirmation massive qui contient toute ma foi. Chaque article du Credo est un des objets de ma foi. Mais le fondement de ma foi, c'est la résurrection de Jésus Christ. Au demeurant, la foi est une grâce, un don gratuit. Dans le déroulement de l'histoire « historique » de Jésus, l'expérience du Ressuscité n'a été octroyée qu'aux personnes croyantes et non à ses ennemis. Aussi bien, je récite le Credo comme une prière et non pas comme l'inventaire de mes meubles ou autres possessions. Dans le mot credo, en effet, le « je » et le « crois » forment un seul mot. Le « je » est absorbé par le « crois ». « Je » devient ainsi un article de foi, selon la forte remarque de Maurice Clavel[24]. Mais n'anticipons pas.

J'entreprends de dire ma foi. De dire comment et en qui je crois. Il importe donc d'abord de dire qui est ce « je ». J'ai déjà passablement écrit au « je ». Quiconque écrit, au fond, ne fait guère autre chose que dire son « je », sauf peut-être s'il s'agit d'un ouvrage sur la science expérimentale ou d'un manuel de mathématique. Ici, cependant, le « je » doit être rattaché à l'aventure de la foi.

Je reprends ce que je rapportais plus haut de saint Augustin. J'ai toujours cru que j'étais le fils de mon père et de ma mère. Je l'ai toujours cru, mais je n'ai jamais vérifié la chose. J'ai toujours cru que j'étais né le 7 mars 1927. Comment en être sûr? Je sais, en tout cas,

---

24 M. CLAVEL, *Ce que je crois,* Grasset, 1975.

que le 7 mars 1927 était un lundi. Les calendriers dits universels me l'assurent. Cette certitude elle-même repose sur la fixation du calendrier chrétien par Denys le Petit vers l'an 500, corrigé en 1582 par le pape Grégoire XIII. De plus, on sait maintenant que Jésus est né entre l'an -7 et -4, et non pas en l'an 1. À ce compte-là, s'il demeure sûr que je suis né en 1927, il n'est point du tout sûr que ce jour-là fût un lundi, si l'on s'en rapporte aux révolutions de la terre autour du soleil. Avouons que cela importe assez peu.

J'ai été baptisé le jour même de ma naissance. Mon certificat de baptême en fait foi. Je dis bien : en fait foi, car enfin, je n'ai pas pris beaucoup de notes, ce jour-là. Certes, il y avait des témoins, et ils ont signé un registre. Je n'ai aucune raison, par ailleurs, de penser qu'il y ait eu quelque intérêt à falsifier l'événement de ma naissance. Au demeurant, ma naissance est davantage documentée que celle de Socrate ou de César, et beaucoup plus que celle de Jésus. Je pars de là, mais déjà je pars d'un acte de foi. Dans l'exercice de mes fonctions de provincial, j'ai eu à faire rectifier le certificat de naissance d'un confrère qui, à l'époque, pouvait avoir soixante ans. Il était né un mois avant son baptême et la communauté avait toujours souligné son anniversaire de naissance un mois plus tard. Par la suite, quelques personnes m'ont confié qu'elles avaient durement retracé les noms de leur père et mère, après plusieurs années vécues dans une certitude pour en acquérir une autre, mais toujours par foi.

Je m'appesantis sur ce point tout simplement pour établir qu'en dehors même de toute adhésion à une foi religieuse, nous sommes bien obligés de croire. Mon Dieu, que la liste serait longue des choses, des faits, des événements, des vérités ou des informations d'ordres divers auxquels je crois! Par exemple, que le brocoli est très bon pour la santé; que la margarine est moins terrible que le beurre; que le taux de chômage monte ou baisse. Par contre, je n'ai aucunement besoin de croire que la somme des angles intérieurs d'un triangle est égale à deux droits, et que 2 + 2 = 4.

La foi est un don, une grâce de Dieu. Dans l'Église catholique, le baptême est le sacrement qui introduit dans la foi. Mais la foi existait dans le cœur des humains avant le baptême. Il faudrait citer ici le fabuleux chapitre de l'épître aux Hébreux où il est question de la foi d'Énoch, de Noé, d'Abraham. Aucun d'eux n'avait reçu le baptême catholique. Le centurion et la Cananéenne non plus. Même pas le baptême de Jean. Et pourtant, Jésus s'émerveille de leur foi. Dans le canon de la messe, il est fait mention de la multitude dont Dieu seul connaît la foi. Et Marie est déclarée bienheureuse, non pas d'abord d'être la mère de Jésus, mais d'avoir cru.

La ligne de transmission de la foi repose sur trois pylônes : la Tradition, l'Écriture, le Magistère, et dans cet ordre.

Pour l'Église, la sainte Écriture n'est pas la seule référence. En effet, la règle suprême de sa foi lui vient de l'unité que l'Esprit a réalisée entre la sainte Tradition, la sainte Écriture et le Magistère de l'Église, en une réciprocité telle que les trois ne peuvent pas subsister de manière indépendante[25].

La foi doit donc être proclamée. *Fides ex auditu* : la foi vient de ce que l'on entend (*Romains* 10, 17). En ce sens, la foi vient des parents, de la prédication en Église, des maîtres, des responsables de la pastorale. Elle vient aussi des livres qui en traitent. On doit entretenir et nourrir ce que l'on a pu recevoir de ses parents, de l'école, de la prédication. On doit aussi l'entretenir et la nourrir par ses propres lectures et sa propre réflexion. En matière de lectures, ce ne sont certes pas les documents écrits qui manquent. Nous en sommes inondés. Et, c'est le cas de le dire, il y en a pour tous les goûts. Je n'ai pas à juger ici de cette profusion.

La proclamation de la foi est la première nourriture de la foi. Je dis « la première ». En fait, la proclamation de la foi est inséparable de la prière. Il faut transformer instantanément l'audition (ou la récitation personnelle) du Credo en prière. Et dire, tout ensemble, la plus émouvante protestation de foi, celle que rapporte saint Marc : « Je crois, Seigneur, viens au secours de mon incrédulité[26] » (9, 24). La

---

[25] JEAN-PAUL II, *Foi et raison*, Fides, 1998, n° 55.

[26] Un des plus beaux versets du récit et de tout l'évangile de Marc, selon Émile Osty.

prière n'est pas difficile. La prière n'est pas une technique qu'il faille apprendre et généralement contre argent sonnant. Il existe une industrie de la prière; une industrie de la piété. Très peu pour moi. Les disciples de Jésus lui ont demandé un jour : « Seigneur, enseigne-nous à prier » (*Luc* 11, 1). On connaît la suite : « Ferme ta porte et prie ton Père. » Il y a par ailleurs la remarque de saint Paul : « Nous ne savons pas prier comme il faut; mais l'Esprit lui-même sollicite souverainement par des gémissements ineffables » (*Romains* 8, 26). Ce dont il faut se méfier, c'est que la prière ne devienne un refuge, un alibi. Je pense à une hymne de l'Office divin :

> Que Dieu rende vigilants
> Ceux qui chantent le Seigneur :
> Qu'ils ne soient en même temps
> Les complices du malheur
> Où leurs frères sont tenus!

Je fais maintenant un retour « par en arrière ». Mon premier souvenir « religieux » remonte au moment où je devais avoir quatre ou cinq ans. Il est sûr, en tout cas, que je marchais, car ma mère aurait été incapable de me porter dans ses bras. C'était l'hiver. Ma mère s'était rendue à l'église. En fait, dans la sacristie, car, durant la semaine, l'église « du haut », comme on disait, n'était pas chauffée. Je courais dans la sacristie. Sous le maître-autel, Notre-Seigneur était représenté sous la forme d'un gisant, grandeur nature. Cette représentation m'avait assez impressionné. De retour à la maison, j'avais demandé qui était cet homme barbu, couché sous l'autel, derrière une vitre. Ma mère m'avait répondu que c'était Notre-Seigneur, mort pour nos péchés. Bon! Je ne suis pas allé plus loin et sans frustration dailleurs. Vers les mêmes années, ma mère, que j'avais encore une fois accompagnée pour son chemin de croix, toujours dans la sacristie, m'avait dit que si quelqu'un pleurait devant la station de Véronique essuyant le visage de Jésus, tous ses péchés lui étaient pardonnés. Cette affirmation est bien loin d'être dépourvue de fondement. Aussi bien, j'ai cru ma mère, mais j'ignore si j'avais, à l'époque, une quelconque idée de ce qu'est un péché. Pourtant, je suis né tout entier dans le péché, comme dit le psaume 50 : « *In peccatis concepit me mater mea* : J'ai été conçu dans le péché. »

Un confrère, plus malin que moi, m'a fait un jour une objection à ce sujet. « Comment, me disait-il, ai-je pu être pécheur avant de naître? » Je n'ai su que répondre. Je ne m'étais jamais posé la question. Depuis Freud et Drewermann, on connaît la réponse. Pensez-vous? « Le péché est le plus vieux souvenir de l'humanité », dit Guitton. On appelle ça l'insécurité existentielle. Les philosophes de l'Antiquité disaient plutôt l'insécurité ontologique.

Durant les mêmes années, un peu avant, un peu après, qu'importe, un vendeur de calendriers s'était présenté à la maison. Je revois ma mère, tournant les illustrations mensuelles. Elle avait fini par « commander » un calendrier. C'était des chromos, comme on dirait maintenant. Ce n'en était pas pour elle ni pour moi. Soit dit en passant, le *Guernica* de Picasso est un chromo. Un des mois du calendrier en question représentait évidemment Jésus avec une brebis sur l'épaule. Les brebis, je connaissais. Ma mère, pourtant, n'était pas dévote, mais elle était une grande croyante. Elle n'a jamais voulu faire partie de l'association des Dames de sainte-Anne qui regroupait, en principe, toutes les femmes mariées. Elle trouvait ça « zarzais ». Elle critiquait ouvertement devant nous certains sermons du curé. Un jour, elle a vu par la fenêtre, le curé qui se rendait visiter Annette Garneau, qui se mourait de tuberculose. Celle-ci nous avait parfois gardés durant les rares absences de ma mère. Le curé s'est arrêté d'abord chez des voisins des Garneau. Ma mère a passé une remarque acide sur le fait qu'Annette avait davantage besoin de visite. Ce à quoi j'ai répondu : « Maudit curé! » Elle m'a interrompu brutalement : « T'as pas le droit de dire ça. Tu t'en confesseras. » Ce que j'ai fait, un mois plus tard, et au curé lui-même, qui n'en a pas fait un plat. Mais moi, entre-temps, j'en avais fait tout un problème.

Mon père, par contre, était plutôt dévot. Du temps qu'il travaillait pour un fermier du village, il n'avait guère de libres, le dimanche, que quelques heures entre « le train » du matin, la grand-messe et « le train » du soir. Or, chaque après-midi, il allait faire son chemin de croix à l'église. Parfois, je l'accompagnais, nullement obligé de le faire. Un jour d'hiver, que j'étais assis avec lui à l'avant d'un tombereau de fumier, je l'ai vu se découvrir en passant devant l'église. Je lui ai demandé pourquoi. Il m'a répondu : « Il faut saluer le Bon Dieu. » Je n'en ai pas demandé davantage. Je crois bien que je comprenais vaguement. Je note toutefois qu'il ne m'a pas demandé d'en faire autant. C'était un homme de peu de mots.

Durant le carême — je ne parle pas des hivers où il travaillait dans les chantiers —, il surveillait la quantité de nourriture autorisée, chose que je connaissais, car c'était écrit dans le catéchisme. Beaucoup plus tard — c'était même avant le concile Vatican II —, en visite à la maison, je lui ai dit qu'on avait désormais le droit de boire de l'eau avant de communier. Il m'a répondu : « Jamais! Je ne veux pas le noyer. »

Il va de soi que la prière en famille était de règle. Durant l'hiver, cela ne me dérangeait guère. Il en allait autrement durant l'été. Si mon père était absent, on pouvait s'arranger avec ma mère. Mais si mon père était à la maison, il n'y avait rien à faire. Vers 19 heures, il fallait rentrer. Et en plus, il fallait se tenir droit, à genoux, devant une chaise de cuisine que chacun plaçait devant soi. Le chapelet déboulait, avec les litanies du Sacré-Cœur, les actes de foi, d'espérance, de charité et de contrition, et la prière à saint Joseph pour la « bonne mort ».

Dieu sait, mieux que moi, que je ne ris aucunement de ces souvenirs. Je me les rappelle délibérément, avec tendresse. Le philosophe Alain disait :

> Quand vous moquez la superstition de la paysanne bretonne qui égrène son chapelet, vous ignorez qu'elle cherche peut-être plus que vous, à sa manière, à adhérer à l'éternelle nécessité, comme Spinoza et Marc-Aurèle, et si vous réduisez sa religion aux petits grains de bois, vous êtes plus idolâtre qu'elle.

À sept ans, j'entrais dans le cours préparatoire, qui se donnait au couvent. Cette année-là, j'ai eu comme professeur un jeune frère et une maîtresse d'école. J'ai pas mal oublié l'école des Sœurs durant le cours préparatoire et les deux années d'école que j'ai passées dans une classe dirigée par un laïc. Puis ce fut l'école des Frères, au collège. La religion ne manquait pas. Prière, catéchisme. J'étais champion. J'avais une bonne mémoire. Chaque dimanche, tous les élèves devaient se retrouver au collège. Les uns, pour le chœur de chant; les autres, pour le chœur du sanctuaire. J'ai été classé dans le chœur du sanctuaire. J'ai appris les répons par cœur. Et je servais le plus de messes possible, car chaque messe rapportait 5 ¢, 10 ¢ dans certains cas. Précisons qu'à la même époque, mon père gagnait 10 ¢ de l'heure. Je pourrais rapporter ici mille anecdotes. Mais là n'est pas mon point. Mon point est que je veux retracer ma foi.

Nous sommes en 1941. Le 2 juillet, très tôt, je pars pour le juvénat des frères Maristes de Lévis. Mon premier beau souvenir d'ordre proprement religieux, c'est une messe du dimanche. Les « anciens », comme nous disions, servaient la messe. Ils étaient grands — moi, à l'époque j'étais tout ramassé sur moi-même — et ils me paraissaient solennels. Ils l'étaient, en fait. La plupart de ces post-adolescents, comme on dit aujourd'hui, ont fait de remarquables carrières en éducation, en administration, en architecture, etc. De plus, un ou deux des frères qui nous encadraient avaient suivi des cours de Dom Mercure sur le renouveau du chant grégorien. De la sorte, grâce à la liturgie soignée et au grégorien, j'ai été, à quatorze ans, plongé dans un univers de beauté dans lequel je suis demeuré au postulat, au noviciat et au scolasticat. Cet univers a été sabordé par la réforme liturgique consécutive au concile Vatican II. De Fourastié à Jean Guitton, en passant par Maritain, Julien Green et le cardinal Ratzinger et combien d'humbles silencieux, il ne manque pas de fidèles pour déplorer le « catinage » liturgique consécutif à une certaine euphorie superficielle post-conciliaire[27].

Au juvénat, la vie de prière était intense : messe quotidienne, il va de soi; récitation, en latin, du Petit office de la Sainte Vierge; chapelet quotidien; récitation de la « prière de l'heure » durant la journée scolaire, etc. Outre le missel de Dom Gaspard Lefebvre et le petit livre de l'Office marial, nous avions un livre de lecture spirituelle intitulé *Pensez-y bien, recueil de méditations suivies d'anecdotes tirées de la vie des saints ou des récits de voyants ou de voyantes.* Pour faire bref, je

---

[27] Sur cette question et bien d'autres, voir RATZINGER et MESSORI, *Entretiens sur la foi,* Paris, Fayard, 1979.

dirais que nous étions plongés dans la spiritualité française « jansénisante ». Nos maîtres ou les maîtres de nos maîtres étaient des Français dont un grand nombre avaient été chassés de France par Jules Ferry et Émile Combes. Je ne parle pas de concepts ni de doctrine.

Je dis « doctrine », mot dont j'ignorais tout, à l'époque. Car, pour ce qui est de la doctrine, c'était à peine un peu plus haut que ce que l'on distillait, à l'époque, au commun des fidèles. C'est au noviciat seulement que l'on nous a mis entre les mains le *Nouveau Testament*, de Crampon, et *L'imitation de Jésus-Christ*, de Thomas a Kempis, dont on lisait un bref passage avant les repas. Ne rions pas trop vite : c'est en 1956, seulement, que la Bible dite « de Jérusalem » a commencé de pénétrer nos milieux. Et en 2001, ce que j'entends, à titre d'auditeur captif, ne vole pas beaucoup plus haut, sauf, par-ci, par-là, de la bouche d'un humble curé, bref et pénétré de ce qu'il dit. « *Brevis debet esse et pura oratio* », disait saint Benoît. La prière doit être brève et pure.

Je n'entreprends donc pas, ici, de juger rétrospectivement une époque, une sensibilité, une mentalité d'il y a plus d'un demi-siècle. Cette opération serait malhonnête. Nos médias s'y vautrent. Mais c'est juste pour rire. Cela nous passera. La nostalgie est vaine et le ressentiment, maladif. Je ne serai pas là pour m'en amuser, mais je voudrais bien savoir comment l'on jugera notre dernier demi-siècle. Le nôtre, au Québec, et celui du monde entier. Julien Green, qui a traversé le siècle au complet, l'appelle le « siècle de la honte ». Miséricorde et modestie, donc.

Dans les pages qui précèdent, j'ai simplement voulu situer les origines familiales et communautaires de ma foi. Le mot « origine » n'est d'ailleurs pas satisfaisant. Je devrais plutôt dire le climat, l'environnement initial de ma foi. Car la foi que j'espère avoir est hors de prise. Le point où j'en suis, toutefois, a rapport avec la vocation. À l'époque dont je parle, le mot « vocation » signifiait vocation à la vie religieuse. On avait la vocation, on gardait sa vocation, on perdait sa vocation. Personne d'autre n'avait une quelconque vocation. Au moment où j'écris ces lignes, il m'arrive encore d'entendre parler de vocation au sens réducteur que j'évoque ici. Au demeurant, j'ai eu

« vocation ». Comment ma foi s'y est-elle développée et nourrie? C'est ce que je vais maintenant essayer de démêler.

Elle est bien vaine la question : « Qui serais-je si...? » Qui serais-je si je n'étais pas entré au juvénat de Lévis en 1941? Qui serais-je si j'étais rentré à la maison, un mois ou deux ans après? Qui serais-je si je m'étais marié? « Rentrer à la maison » était pourtant chose commune, si je puis dire. Pour une année donnée, sur cent vingt-cinq juvénistes, une quinzaine, une vingtaine tout au plus, « passaient » au postulat de Saint-Hyacinthe. J'y suis entré au mois d'août 1943. L'année de postulat était suivie d'une année de noviciat, au même endroit. En 1943, postulants et novices ensemble, nous étions une bonne soixantaine, relevant de deux provinces religieuses : Iberville et Lévis. Lors de la prise d'habit de 1944, nous étions dix-sept de la province de Lévis. L'un d'entre nous est mort en 1947. Un autre est mort en 1995. Les autres ont quitté la communauté. Je suis le seul de ma « vêture », comme nous continuons à dire. Mais, encore une fois, qui serais-je si...? La question est vaine, je le répète. Pascal disait : « Si Dieu nous donnait des maîtres de sa main, oh! qu'il leur faudrait obéir de bon cœur! La nécessité et les événements en sont infailliblement. » Dans mon cas, la « nécessité et les événements » ont d'abord été mon entrée au juvénat de Lévis, le 2 juillet 1941. Après mes deux ans de juvénat, ont suivi les deux années de postulat et de noviciat à Saint-Hyacinthe. Je place ici les réflexions que je me faisais le 2 juillet 1997, lors d'une retraite chez les Ursulines de Loretteville.

En 1941, je partais pour le juvénat. J'entreprenais mon premier grand voyage en « machine ». À l'époque, on disait rarement « automobile ». Je revois ma mère qui me fait un petit signe de la main du haut de la galerie. Il pleuvait. J'ignorais totalement ce qui m'attendait. Après quelques courses à Québec avec le frère directeur (les frères en poste à Métabetchouan ne passaient qu'une fois par année par Québec, pour leur retraite annuelle, justement), nous sommes arrivés au juvénat de Lévis vers 16 heures. Je suppose qu'on avait dû déposer ma petite valise au parloir. Toujours est-il que je me retrouve seul dans la grande cour de récréation. Je vois les juvénistes se mettre en rang. C'était le 2 juillet, fête de la Visitation à l'époque, et selon la coutume les juvénistes se rendaient au monastère voisin des Visitandines pour chanter le salut solennel du Saint-Sacrement. J'étais planté debout, plutôt désemparé. L'anesthésie du « tour de machine » avait fini son effet. Le surveillant vient me trouver et me demande ce que je fais à l'écart. Je lui dis que je veux rester là. Il me répond : « Prenez le rang! »

J'en étais à parler de ma « vocation ». J'écris le mot « vocation » entre guillemets, car enfin, quelle était, quelle est encore ma vocation? Je pense que l'on connaît sa vocation immédiatement après le dernier souffle, si le mot « immédiatement » a quelque sens à ce moment-là. Toute miséricorde, tout rétablissement, toute réécriture est alors possible.

J'ai dit plus haut que je reviendrais sur les problèmes du doute et du silence de Dieu. Je ne fais pas un sort à mes doutes. Mais je ne sors presque jamais d'une messe sans me poser des questions sur le passage de l'évangile du jour. Je sais depuis longtemps que Jésus n'a pas écrit un seul mot. Le Verbe éternel et substantiel ne pouvait pas fixer sa parole dans une langue quelconque. Les écrits de ses contemporains, Cicéron ou César par exemple, sont dûment fixés. Mais de Jésus, nous n'avons que les paroles rapportées par les évangélistes et une, par saint Paul : « Il y a plus de bonheur à donner qu'à recevoir » (*Actes* 20, 35). À ce sujet, Rahner pose la question : « Lesquels des cinquante noms et plus que le Nouveau Testament donne à Jésus correspondent le mieux ou totalement à l'intelligence qu'il eut de lui-même? En particulier le titre de Fils de l'homme", que l'on trouve dans la christologie néo-testamentaire, fait-il partie des *ipsissima verba* de Jésus ou cela ne peut-il être prouvé?[28] » À cette question, on peut répondre cavalièrement que tout ce qui peut être prouvé n'est pas objet de foi et inversement : ce qui est objet de foi ne saurait être prouvé. La foi ne se présente jamais au terme d'une démonstration après laquelle il ne resterait qu'à écrire le fameux C.Q.F.D. des petits manuels de géométrie du temps de mes « écolâtries ».

---

[28] K. RAHNER, *op.cit.*, *Ipsissima verba* : les paroles mêmes de Jésus.

Bien plus, tout l'Ancien Testament n'est que la consignation fort tardive d'une tradition qui ne remonte guère plus loin que 1 500 ans avant Jésus. Et alors, d'Adam aux rédacteurs du Pentateuque[29], il y aurait eu interruption de toute révélation? Bien sûr que non! Bien sûr que oui si vous préférez le big bang initial. Il faut quand même reconnaître que « l'avant-avant » est plus difficile à imaginer que « l'après-après », car dans « l'après-après », on peut toujours projeter le rêve de ce que l'on aura connu. Par ailleurs, la science contemporaine (physique, astronomie et psychanalyse confondues) n'en finit plus de creuser « l'avant-avant ». *We now remember the futures that were.* Je traduis en « jazzant » : Nous cherchons à dépister les « futurs qui furent ». Pensez-y : les futurs qui furent…

Le futur n'existe pas. Il est tout entier déterminé par les lois de la nature. En principe, l'éruption de tel volcan, les craquements de tel tremblement de terre pourraient être connus à la seconde près. On n'en est pas encore là. Les simples prévisions de la météo ne vont pas virer loin. On connaît le temps qu'il fait quand on met le nez dehors. Les phénomènes que l'on appelle communément « miracles » ne sont que des évidences différées.

Par contre, l'avenir est déjà survenu. Jésus a dit : « Votre Père sait ce dont vous avez besoin, avant que vous le lui demandiez » (*Matthieu* 6, 8). La prière agit dans l'éternité. Le mot « éternité » nous est familier, mais nous n'avons aucune idée de ce qu'il veut dire, car nous sommes bien obligés de penser avec les catégories du temps et de l'espace, qui ne sont déjà pas des concepts limpides. Ce que je tente de dire, en tout cas, quand je dis que la prière agit dans l'éternité, c'est qu'elle agit dans le passé et dans l'avenir. Ainsi, je peux prier pour les morts; je peux prier pour demander pardon du mal que j'ai fait. Je peux aussi prier pour l'avenir d'un enfant ou la réussite d'une entreprise. Avec sa prodigieuse capacité d'invention d'images, Léon Bloy écrivait que « la victoire de la Marne (1914) avait peut-être été obtenue grâce aux prières d'une carmélite philippine qui naîtrait dans deux cents ans ». Dans le simple Ave, ne demande-t-on pas à Marie de prier

---

[29] Les cinq premiers livres de la Bible.

pour nous maintenant et à l'heure de notre mort? Dans les deux dernières pages du recueil intitulé *Œcuménisme*, Jean Guitton a composé une prière au Saint-Esprit dont je reproduis ici un passage :

> Vous qui allez au-delà des limites de l'Église visible, vous qui la devancez dans les âmes, vous qui donnez un baptême antécédent, vous qui êtes celui qui commence et qui dépasse. Vous qui, agissant dans les rites sacrés, n'êtes pas toutefois lié par ces rites. Vous qui pouvez demeurer dans les âmes inhabitées, dans les réflexions encore incertaines. O Père des prosélytes, Ami du seuil, Secours de ceux qui gémissent, Inspirateur des prières inarticulées, Conscience de ceux qui n'ont pas encore conscience, rassemblez-nous[30].

En liaison avec ce qui précède, je dirai encore que la foi m'aide à supporter l'injustice et le mensonge de l'histoire. Supprimez Jésus, nous ne sommes plus que des bêtes mortelles et dont l'immense majorité aura vécu sous le signe de l'injustice. S'il n'y a pas une surprise formidable pour tous les disgraciés, les infirmes, les pauvres, les chiens battus, depuis les galériens quon ramassait au hasard jusqu'à cet ouvrier que j'entendais un jour sur le traversier de Lévis dire à son camarade : « Je n'en peux plus... »; s'il n'y a pas une surprise pour eux tous, si toute cette souffrance, qui ignore jusqu'à son nom, ne se réveille pas un jour sur l'épaule de Jésus Christ, il n'y a pas de justice.

Je dis « l'injustice et le mensonge de l'histoire ». La grande histoire, mais aussi l'histoire quotidienne, celle que les médias nous exposent chaque jour et à chaque minute de chaque jour, maintenant que nous nous sommes construit la tour de Babel de l'Internet. La tour de Babel, dont le livre de la Genèse nous donne le récit, illustre l'ambition de l'être humain de monter jusqu'aux cieux, ce qui, à l'époque, symbolisait la volonté d'égaler Dieu. L'Internet nous fournit maintenant un succédané plus proche des attributs de Dieu : l'ubiquité et l'instantanéité.

Ayant accepté de dire ce que je crois, je me demande maintenant ce que je dirais si je n'avais pas la foi. Je ne dirais certainement pas

---

[30]   J. GUITTON, *Œcuménisme,* Bibliothèque européenne, Paris, Desclée de Brouwer, 1986.

que je crois à la démocratie, au progrès, à la science. Disons cela autrement : sans la foi, que pourrais-je répondre aux questions suivantes : « Que servira à un homme d'avoir gagné l'univers s'il perd son âme? (*Matthieu* 16, 26) — Suis-je le gardien de mon frère? (*Genèse* 4, 9) — Si Dieu est pour nous, qui sera contre nous? (*Romains* 8, 31) — Qu'est-ce que la vérité? (*Jean* 18, 38) — Où fuir loin de ta face? (*Psaume* 139, 7) — Qui est mon prochain? (*Luc* 10, 29) — Que dois-je faire pour mériter la vie éternelle? (*Luc* 10, 25)[31] » La tradition chrétienne nous a donné deux Credo : le symbole des Apôtres, le Credo court, comme on l'appelle parfois, et le symbole de Nicée-Constantinople. Les deux Credo se terminent par « je crois à la vie éternelle ». En fait, les deux se terminent par le mot *Amen*.

On rend parfois le mot *amen* par l'expression : ainsi soit-il. Il faut décaper cette expression. « Ainsi soit-il » doit d'abord se comprendre comme une prière. Je demande que cela soit; je demande que ce que je viens de dire ou d'entendre devienne une réalité. Quelque chose qui organise ma vie, mes pensées, mes actions. Je demande que le « ainsi soit-il » devienne un « cela est ». En hébreu, *amen* signifie : ferme, solide, granitique.

Je professe que je crois à la vie éternelle et j'ai peur de mourir. Et bien en deçà de la mort, je continue de m'inquiéter de ma santé, ce qui veut dire de mes malaises. Je continue de m'inquiéter de l'actualité politique, ce qui veut dire dérisoire mensonge. Je continue à m'inquiéter de l'humeur ou des silences de mon voisin. Le vrai *amen* coïncidera avec mon dernier soupir, à supposer que je ne sois pas, à ce moment-là, affolé de souffrances ou de médicaments. C'est bien pourquoi j'ai depuis longtemps l'habitude d'ajouter, après le Credo, les derniers mots de Jésus selon Luc : « *Pater in manus tuas commendo spiritum meum.* » C'est la dernière invocation de l'office des complies. Il faut citer ici une réflexion de Marcel Légaut :

Vous avez su, quand l'heure vint à sonner, aller vers la mort dans la fidélité vécue à l'exacte dimension de votre mission.

---

[31] Je m'inspire ici d'une méditation de Frederick BUECHNER tirée de *Listening to Your Life*, San Francisco, Harper, 1992.

> Vous vous êtes mesuré avec la mort dans la foi nue, l'espérance déçue, l'amour impuissant, continuant ainsi à vivre de foi, d'espérance et d'amour[32].

Ah! et puis, si l'on confesse sa foi à la vie éternelle, ne se trouve-t-on pas à devoir envisager une mort éternelle? Dans la liturgie des funérailles, on disait naguère : « *Ne obliviscaris in finem*. Ne m'oubliez pas à jamais! » Dans l'oraison qui conclut le *Salve, Regina*, nous demandons d'être délivrés du mal présent et de la mort éternelle. La prière chrétienne n'écarte pas la possibilité d'une mort éternelle. Nous avons été créés et nous subsistons par et dans l'amour de Dieu pour chaque être humain. La mort éternelle consisterait à être « oublié » par Dieu. Et cet oubli ne peut pas signifier simplement un « retour au néant ». Je multiplie l'usage des guillemets parce qu'il faut bien que je m'exprime avec les catégories du temps et de l'espace. Mais que peut bien signifier un « retour au néant »? Un retour dans le rien?

Je sais très bien qu'on ne parle plus de l'enfer[33], mais enfin la doctrine chrétienne affirme :

> la possibilité d'une perdition définitive pour tous les individus, pour chaque Je, parce que autrement ne subsisterait plus le sérieux d'une histoire libre. Mais cette incertitude, dans le christianisme, n'est pas nécessairement la doctrine de deux voies d'égale dignité s'ouvrant devant l'homme qui se tient à la croisée des chemins, mais cette incertitude concernant le possible achèvement de la liberté dans la perdition se trouve en marge de la doctrine selon laquelle le monde et l'histoire du monde comme tout débouche **de fait** dans la vie éternelle près de Dieu[34].

---

[32] *Méditation d'un chrétien du XXᵉ siècle,* Aubier, 1983, dernière méditation intitulée : « Pour le soir de la vie ». Marcel Légaut est mort le 6 novembre 1990, subitement, dans un train qui l'amenait à Avignon où il devait donner une conférence. Il avait quatre-vingt-dix ans.

[33] Selon un récent sondage, publié dans *Le Journal de Québec* (19 mars 2001), seulement 1,5 % des personnes répondantes déclarent croire à l'enfer.

[34] K. RAHNER, *TRAITÉ FONDAMENTAL DE LA FOI,* PARIS, CENTURION, 1983.

J'ai un peu dit comment j'ai reçu la foi. Cet événement, je veux dire mon baptême, est parfaitement documenté. J'ai dit aussi comment ma foi a été nourrie, d'abord au niveau de la sensibilité, par la beauté des célébrations liturgiques et, par la suite, alimentée par une réflexion soutenue. Je dois ajouter que ma foi a été accompagnée, je ne trouve pas de meilleur mot, par mes lectures. Je ne me prive pas de citer, car j'estime qu'il faut saluer, avec leurs propres mots, mes grands accompagnateurs. Je pense (et je ne cherche aucunement à être exhaustif) à Pascal, Thibon, Guitton. Je pense surtout aux grands intercesseurs : la foule innombrable des amis de Dieu. C'est toujours avec un bref renforcement d'attention que j'entends, au canon de chaque messe, l'invocation de tous les saints et les saintes, des anges, des archanges et de toutes les personnes « dont Dieu seul connaît la foi ». De même, en effet, que chaque navire est exactement repérable à l'intersection d'une longitude et d'une latitude, de même, je suis constamment repéré par l'intercession de tous les saints et les saintes. Tenez! et je termine là-dessus : « Ce qui peut-être me rassure le plus dans la foi, c'est l'existence des saints[35] ».

Dans la période de l'histoire où nous sommes, dans cette période non pas de changement mais de mutation, il faut faire ressortir la fabuleuse énergie que dégage le pape Jean-Paul II. On le sait, en effet, il aura été le pape qui aura béatifié ou canonisé le plus grand nombre de chrétiens et de chrétiennes depuis 1594, date où fut créée la Congrégation pour la cause des saints. Et pourquoi procède-il ainsi, si j'ose employer le mot « procédure »? Réponse : parce qu'il est conduit à manifester la vitalité de l'Église, en notre période où tous les sondages et médias proclament la « mort de Dieu ». Je sais, le mot est de Nietzsche. Mais lui, dans sa fureur même, se demandait comment l'être humain pourrait vivre longtemps orphelin. La Bourse y pourvoira. Nietzsche est mort en embrassant un cheval maltraité dans une rue de Turin. Paix à ses blasphèmes qui étaient la face noire de ses amours.

---

[35] J. Guitton, *Ce que je crois*, Paris, Grasset, 1971.

La parade actuelle s'appelle « mondialisation »[36]. Il faut voir ce que cela veut dire. Tenez ! Comme cadeau de réabonnement à une revue, je recevais récemment une montre fabriquée au Japon dont le bracelet « pur cuir » venait de Chine et dont l'adresse (exacte) était *made in US*. Cela est. Cela se passe. Et cela continuera. Le XXe siècle aura été le plus meurtrier de l'histoire. Celui où nous sommes continue sur cette lancée. Les chansonnettes « alléluiatiques » n'y changeront rien. La vieille liturgie est implorante, elle reprend toujours : « Seigneur, prends pitié ».

Et, ce pendant (en deux mots), ma foi me rassure parce qu'elle me parle du Maître du navire et des flots.

---

[36] Le 25 février 2001, je rencontrais deux personnes engagées à titre de consultantes auprès des responsables de la sécurité, en vue du Sommet des Amériques des 22 et 23 avril. Nous parlons longuement des dizaines de groupes de manifestants qui s'organisent depuis longtemps. On observe une recrudescence du marxisme-léninisme des années 60. La police a identifié un groupe qui s'appelle « Émile Henry ». Autour de la table, personne ne savait d'où pouvait venir ce nom. Or, dans *Le mendiant ingrat*, de Bloy, on trouve une entrée au sujet de cet anarchiste, en date du 5 décembre 1892. L'anarchiste en question avait fait exploser une bombe dans un poste de police de Paris, rue des *Bons-Enfants*. Tel quel ! L'explosion avait causé la mort de cinq policiers. Bloy avait alors publié un article prophétique intitulé « *L'archiconfrérie de la bonne mort* ». L'article se termine ainsi : *LE CATHOLICISME OU LE PÉTARD !* Les capitales sont de lui. On a refusé le catholicisme et on a bel et bien eu le pétard : celui de 1914-1918, celui de 1939-1945 et tous les pétards qui explosent un peu partout.

Né en 1953, à Verdun, au Québec, **Bertrand Ouellet** est un laïc engagé dans l'Église depuis plus de trente ans. Ingénieur diplômé de l'École polytechnique de l'Université de Montréal (génie électrique, 1975), il est aussi diplômé en théologie (maîtrise en études bibliques).

Depuis 1998, Bertrand Ouellet est le directeur général de Communications et Société, l'organisme reconnu par l'épiscopat comme office catholique des communications sociales pour le Canada francophone. Bibliste chevronné aux affectations multiples (Centre biblique du diocèse de Montréal, chargé de cours à la Faculté de théologie de l'Université de Montréal, chroniqueur biblique à l'émission « Parole et Vie » à la télévision communautaire, pendant huit ans), il a aussi dirigé le Centre d'information sur les nouvelles religions (CINR), de 1993 à 1998. Il signe actuellement une chronique mensuelle, intitulée « Signes de foi », dans la revue *Vivre en Église* du diocèse de Montréal. Ses textes, couvrant une vingtaine d'années, sont réunis sur le site web : www.Bertrand.Ouellet.name.

« Mon Seigneur et mon Dieu », murmurait-il

À la mémoire de notre cher Côme Lalande, p.s.s. (1919-1999)

Qu'est-ce que je fais ici?
Seul.
Dans le noir.
Encore une fois.
Comme hier. Comme demain, sans doute.
Certains soirs d'hiver, il m'a fallu mitaines et manteau.
Et même, une fois, la tuque.

Qu'est-ce que je fais ici?
Personne ne sait que j'y suis.
Ce n'est pas que c'est un secret,
mais c'est généralement fermé en semaine.
Et à cette heure, tout le monde est parti.
On m'a confié la clé. Quelle chance!
Non. Ce n'est pas de la chance.
Quelle grâce...

Qu'est-ce que je fais ici?
La petite flamme vacille dans sa bulle rouge.
Et je suis là. Avec le fardeau du jour.
Je suis là, comme s'il n'y avait ni hier ni demain.
Éternel maintenant.

Éternel présent où résonnent, vivants, d'antiques échos :
« Demeurez ici, et veillez avec moi. »
« Reste avec nous, Seigneur, le soir approche
et déjà le jour baisse. »

Qu'est-ce que je fais ici?
La tête entre les mains.
Ou appuyée en arrière comme pour dormir.
À genoux, souvent.
Ou même assis dans les marches.

Qu'est-ce que je fais ici, après toutes ces études,
ces lectures, ces diplômes?
De plus doctes que moi ont, semble-t-il, oublié le chemin.
Ou perdu la clé.

Qu'est-ce que je fais ici?
Au pied du tabernacle dans une église déserte.
Le Livre est fermé.
Il n'y a rien sur l'autel.
Attente.
Espérance.
Veille eschatologique.

Qu'est-ce que je fais ici, trente ans plus tard?
Après tous ces détours.
Ces égarements, même.
Je reviens toujours.
Attiré.
Fasciné.
Appelé.

C ette année 2001 marque le trentième anniversaire du jour où, grâce inattendue, Jésus-Christ[37] a fait irruption dans ma vie. J'avais dix-huit ans.

Force est de reconnaître que ce n'était ni un feu de paille ni une illusion de jeunesse. Chaque année, quand j'achète un nouvel agenda, je marque ce jour. Et je me demande encore : pourquoi moi?

Quand je repense à ces trente ans, je reste à la fois étonné et reconnaissant devant l'irrésistible pôle d'attraction qu'a toujours été Jésus, malgré mes hauts et mes bas, mes éloignements et mes diversions. Il l'a été, en particulier, grâce à quelques personnes hors du commun. Qu'on me permette d'en évoquer une.

« Mon Seigneur et mon Dieu! » murmurait-il.
Cher Côme.
C'était juste avant que cette terrible maladie ne le brise.
Lentement.
Cruelle agonie du corps et de l'esprit.

« Mon Seigneur et mon Dieu! » murmurait-il.
Nous étions seuls dans le modeste petit oratoire.
Autour de nous, ce camp de vacances
qu'il aime et dirige depuis quarante ans.
On les entend : des cris et des rires d'enfants heureux.
Je savais que c'était sans doute
la dernière fois que je l'accompagnais ainsi.
Comme nous l'avions fait si souvent au long des ans.

« Mon Seigneur et mon Dieu! » murmurait-il.
Lui, le paysan devenu prêtre et éducateur.
Plus à l'aise avec une hache ou une faux qu'avec des mots.

---

[37] Je remercie Novalis de laisser ici le trait d'union dans « Jésus-Christ », malgré sa politique éditoriale habituelle. Depuis une dizaine d'années, j'ai vu l'influence de certains courants ésotériques, néo-gnostiques et nouvel-âgistes pour qui Jésus, comme d'autres grands initiés, n'aurait été que le porteur d'une « entité christique » qui se serait infusée en lui entre son baptême et sa mort. D'autres milieux insistent à outrance sur la distinction entre le personnage historique de Jésus et le Christ de la foi. C'est pourquoi je choisis d'insister sur l'unité de Jésus-Christ et je le fais, dans mes textes, en gardant le trait d'union.

Si proche de la terre. Si proche de Dieu.
Certains soirs, les activités de camp me retenaient bien tard.
Il m'attendait, malgré le poids du jour.
Il priait.

« Mon Seigneur et mon Dieu ! » murmurait-il,
élevant le Pain de Vie
de ses mains jadis déformées par un accident de ferme.
Mystérieux et intime colloque dont j'étais le témoin privilégié.
Silence de l'adoration, écho du Mystère.

Il ne possédait à peu près rien.
Il s'habillait comme un pauvre, se contentait de fort peu.
À un visiteur qui voulait fonder un camp et le consultait,
il avait répondu :
« Travaille du matin au soir, confie-toi à la Providence
et ne garde pour toi qu'une couverture pour la nuit. »
Cher Côme.

Son souvenir impérissable me ramène à la mémoire un passage-clé de la magnifique exhortation apostolique du pape Paul VI sur l'évangélisation. On dirait son portrait.

Le monde qui, paradoxalement, malgré d'innombrables signes de refus de Dieu, le cherche cependant par des chemins inattendus et en ressent douloureusement le besoin, le monde réclame des évangélisateurs qui lui parlent d'un Dieu qu'ils connaissent et fréquentent comme s'ils voyaient l'invisible. Le monde réclame et attend de nous simplicité de vie, esprit de prière, charité envers tous, spécialement envers les petits et les pauvres, obéissance et humilité, détachement de nous-mêmes et renoncement. Sans cette marque de sainteté, notre parole fera difficilement son chemin dans le cœur de l'homme de ce temps. Elle risque d'être vaine et inféconde[38].

Connaître Dieu...
Fréquenter le mystère...
En parler comme si on voyait l'invisible...

---

[38] Exhortation apostolique post-synodale, *L'évangélisation dans le monde moderne*, 1975, n° 76.

Il fallait une audacieuse lucidité au pape Paul VI pour résumer ainsi le cœur de l'évangélisation, de la mission au monde de ce temps. Il écrivait, faut-il le rappeler, dix ans seulement après le concile Vatican II. C'était l'Église de toutes les expériences. De toutes les espérances. L'Église des solidarités, de l'engagement, de la communauté. Mais aussi l'Église du bruit, de l'agitation, de l'activisme. Et, parfois, l'Église des ruptures sans nuances. Avec la mémoire, par exemple. L'Église de mes vingt ans.

Beaucoup plus tard, de 1993 à 1998, j'ai dirigé le Centre d'information sur les nouvelles religions (CINR), à Montréal. C'était un poste d'observation sans égal pour voir évoluer la quête spirituelle de notre temps. Triste constat : l'Église n'est plus que rarement un point de référence et on se méfie d'elle quand il s'agit de vie spirituelle. On dirait maintenant une étrangère qui se tient à l'écart, mal à l'aise.

L'action et l'engagement des quelque trente dernières années auraient-ils donc été « vains et inféconds », pour reprendre les mots de Paul VI ? Aurions-nous trop négligé cette « marque de sainteté » dont il nous disait que sans elle « notre parole fera difficilement son chemin dans le cœur de l'homme de ce temps »?

Pendant le grand Jubilé de l'an 2000, des centaines d'églises catholiques au Québec arboraient une bannière sur laquelle on pouvait lire : « 2000 ans de Bonne Nouvelle ». Une bonne nouvelle, c'est quelque chose qui fait plaisir, qui réjouit le cœur, qu'on s'empresse de répéter. Normalement, ça fait vite le tour de la famille, du village ou du monde. On ne peut pas en dire autant, chez nous, aujourd'hui, de l'Évangile, notre Bonne Nouvelle. Qu'est-ce qui cloche?

Je me suis beaucoup interrogé là-dessus au cours du Jubilé. Je me suis mis à imaginer un interlocuteur à qui je devrais expliquer le sens de la bannière. Qu'est-ce que je dirais à cet ado assis en face de moi, dans le métro, *walkman* sur les oreilles? Qu'est-ce que je dirais à cette caissière du dépanneur aux cheveux bleus? Qu'est-ce que je dirais à ces quatre grands gars qui parlent de hockey à la brasserie, entre deux sacres et trois vulgarités? Ou à ma dentiste? Ou à ce voisin qui promène son chien?

Un jour, vers la fin de l'année, je me suis soudain souvenu de la frayeur qui m'avait envahi, il y a longtemps, quand j'avais essayé d'imaginer que je perdais la foi, que Jésus appartenait à un lointain passé, que Dieu n'était qu'une illusion et que nous étions seuls au monde. Je m'étais soudain senti comme au bord d'un abîme, dans le noir. Moment de frayeur, de panique. C'était comme la Bonne Nouvelle à l'envers. J'avais trouvé ma réponse. J'ai ouvert l'*Évangile selon saint Matthieu*, au dernier verset : « Je suis avec vous tous les jours jusqu'à la fin du monde » (28, 20). Cette présence du Ressuscité est pour moi le cœur de la Bonne Nouvelle.

Joie intime et secrète sur le chemin des jours
quand tout va bien.
Lumière au bout du tunnel quand ça va mal.
Roc au sein de la tourmente, quand le désespoir guette.
Quand la tentation de fuite se fait pressante,
quand conflits, incompréhensions, découragements,
espoirs déçus minent le quotidien,
quand avec le psalmiste persécuté on a envie de crier :
« Qui me donnera des ailes de colombe?
Je volerais en lieu sûr;
loin, très loin je m'enfuirais,
pour chercher asile au désert[39]. »
Alors résonne l'écho de la promesse :
« Je suis avec toi. Je serai avec toi. »

En mon for intérieur,
la Bonne Nouvelle se résume finalement en un seul mot.
Un mot que l'on retrouve
à toutes les pages du Nouveau Testament.
Un mot qui, dans le silence de l'adoration,
devient prière.
Un nom.
Jésus.

---

[39] *Psaume* 55 (54), 7–8.

Ce Jésus grâce à qui — en qui — le Tout-Autre devient le Tout-Comme. « Montre-nous le Père », lui avait demandé Philippe. « Celui qui m'a vu a vu le Père » (*Jean* 14, 9), de répondre Jésus.

Dans la synagogue de Nazareth, il s'était présenté comme l'oint de Dieu, le Christ : « L'Esprit du Seigneur est sur moi, parce qu'il m'a conféré l'onction » (*Luc* 4, 18). Pour le reconnaître, il faut à son tour être oint, imprégné de l'Esprit. C'est pour ainsi dire en regardant à travers l'Esprit que nous devenons capables de vraiment voir Jésus et de le reconnaître comme Christ, Seigneur et Fils. Autrement, nous ne verrions pas le Fils mais seulement un homme, « le Jésus de l'histoire », comme aiment dire certains auteurs. Saint Grégoire de Nysse l'avait déjà exprimé à sa façon, au IVᵉ siècle :

> La notion de l'onction suggère [...] qu'il n'y a aucune distance entre le Fils et l'Esprit. En effet de même qu'entre la surface du corps et l'onction de l'huile ni la raison ni la sensation ne connaissent aucun intermédiaire, ainsi est immédiat le contact du Fils avec l'Esprit, si bien que pour celui qui va prendre contact avec le Fils par la foi, il est nécessaire de rencontrer d'abord l'huile par le contact. En effet il n'y a aucune partie qui soit nue de l'Esprit Saint. C'est pourquoi la confession de la Seigneurie du Fils se fait dans l'Esprit Saint pour ceux qui la reçoivent, l'Esprit venant de toutes parts au-devant de ceux qui s'approchent par la foi[40].

C'est « les yeux fixés sur Jésus, qui est à l'origine et au terme de la foi » (*Hébreux* 12, 2), le regard oint de l'Esprit, que je peux voir l'invisible et dire « Père ».

Voir l'invisible. Entendre l'ineffable. Discerner l'au-delà de tout. On dit que notre temps a besoin de retrouver le sens et le chemin de la transcendance. Cela se traduit souvent par la quête d'une expérience du sacré.

Un jour, je suis entré dans une mosquée. C'était à Jérusalem. La mosquée *al-Aqsa*, sur l'esplanade du Temple. On m'a indiqué par signe que je devais enlever mes souliers. Je me rappelle être passé,

---

[40] Cité par le *Catéchisme de l'Église catholique*, Paris, Mame/Plon, 1992, n° 690.

sur-le-champ, de mon état d'« étudiant-touriste » à celui de « pèlerin priant ». « Retire tes sandales de tes pieds, car le lieu où tu te tiens est une terre sainte », avait dit Dieu à Moïse (*Exode* 3, 5).

« Que ce lieu est redoutable! », s'était écrié Jacob à son réveil. « Ce n'est rien de moins qu'une maison de Dieu et la porte du ciel! » Il prit alors la pierre sur laquelle il s'était appuyé pour dormir, « l'érigea en stèle et versa de l'huile au sommet » (*Genèse* 28, 17.19).

Isaïe, lui, avait été terrassé par le sentiment de son indignité : « Malheur à moi, je suis perdu! car je suis un homme aux lèvres impures, j'habite au sein d'un peuple aux lèvres impures, et mes yeux ont vu le Roi, le Seigneur de l'Univers » (*Isaïe* 6, 5).

Combien de visiteurs s'arrêtent, sidérés, à l'entrée de la chapelle votive de l'Oratoire Saint-Joseph de Montréal, là où des milliers de lampions brûlent dans une sorte d'antichambre qui donne sur le tombeau du frère André.

Lumière, odeur, chaleur, atmosphère.
On est saisi.
Le message des sens est ambigu,
mais il pointe vers l'indicible.
Expérience du seuil.
Lieux sacrés.
Temps sacrés.
Textes sacrés.
Musique sacrée.
Silence sacré.
« Retire tes sandales... »

Qu'est-ce que je fais ici?
Il y a tant à faire ailleurs.
Tant à dire. À écrire. À donner. À partager.
« Tu t'inquiètes et tu t'agites pour bien des choses.
Une seule est nécessaire », disait Jésus à Marthe[41].
Avant les mots, il faut le silence.

---

41 *Luc* 10, 41-42.

Pour dire, il faut inspirer.
Pour agir, se nourrir.
Pour donner, avoir reçu.
C'est Élie à l'Horeb.
Jésus au désert.

« Dieu nous a donné le jour pour être au service du prochain et la nuit pour converser avec lui », écrivait Jean de Brébeuf.

« Notre monde réclame des évangélisateurs qui lui parlent d'un Dieu qu'ils connaissent et fréquentent comme s'ils voyaient l'invisible », écrivait donc le pape Paul VI. Ce monde qui réclame une réponse prend parfois des traits bien concrets. Ceux d'un enfant par exemple.

Viviane a quatre ans. Il y a quelques mois, sa mère m'envoie un courriel : «Viviane me pose des questions sur Jésus et je ne sais pas comment lui répondre. Connais-tu un livre qui pourrait m'aider à lui parler de Dieu? »

Quelle merveille qu'une question d'enfant sur Dieu! Un peu plus et je me prenais pour le vieil Éli, au temple de Silo, que le jeune Samuel était venu réveiller en pleine nuit. L'enfant s'était senti appelé : « Samuel, Samuel! » Mais il a fallu du temps au vieux prêtre pour comprendre et aider le petit à reconnaître la voix du Seigneur (*1 Samuel* 3).

J'ai bien sûr accepté d'aider la mère de Viviane et je suis allé bouquiner pour elle. Mais une autre question me revenait sans cesse : qu'est-ce que j'aurais fait si mon amie m'avait demandé sans détour de lui parler de Dieu? À elle. Face à face. Sans livre et sans faux-fuyant. Avec quelles images? Quels mots? La phrase de Paul VI me revenait sans cesse à l'esprit.

Je jonglais encore avec cette question, quelques semaines plus tard, quand au détour d'une rue tortueuse, une scène biblique taillée dans la pierre m'a inspiré une réponse. C'était l'œuvre, géniale, d'un sculpteur anonyme. Un sculpteur du XIIIe siècle. Huit siècles de décalage n'ont pas altéré sa lumineuse intuition. Je faisais escale pour trois jours à Paris. Premier dimanche de carême à Notre-Dame et, le lundi, rapide pèlerinage à Chartres. Une heure de train et me voilà gravissant une petite rue en direction de la célèbre et vénérable cathédrale.

Le sculpteur de l'époque travaillait, avec toute une équipe sans doute, à ce que l'on appelle aujourd'hui le portail nord. Leur projet : ni plus ni moins que raconter la création et les origines du monde. Pour la création d'Adam, l'auteur biblique, déjà, avait opté pour une représentation quasi charnelle de Dieu. Dieu qui façonne l'homme de ses mains, avec de la terre. Dieu qu'on entend se promener dans le jardin, à la brise du jour. Dieu qui coud même des vêtements pour ses créatures. Mon frère sculpteur traduit cette proximité divine dans la pierre, avec tout le génie de son art et l'âme de son siècle.

Adam est accroupi, la tête et une main sur les genoux de Dieu. Souriant, les yeux entrouverts, il semble se réveiller. Le Créateur, l'air attendri, lui soutient la tête d'une main et lui caresse les cheveux de l'autre. La scène irradie avec candeur une tendresse inouïe. Moment d'éternité que ce premier éveil du premier homme. Des générations de pèlerins ont dû y entendre l'appel au cœur à cœur de la prière. Lumineux Moyen-Âge qui a pu produire un tel artiste. Un tel croyant.

Voilà l'image de Dieu que je voudrais communiquer à Viviane et à sa mère. Jeunes ou vieux, pour parler de Dieu, il faut savoir se reposer, s'endormir même sur ses genoux. Et c'est en serrant un enfant dans ses bras qu'on saura lui apprendre à dire à son tour, tout bas, « *Abba* ».

Sur les genoux de Dieu...
Quelqu'un a écrit : « On n'expose pas le Saint-Sacrement, on s'y expose[42]. »
Comme au soleil après l'hiver.
M'y revoici donc.

Sans l'Esprit, je ne vois rien, le sacrement se voile.
« Mon Seigneur et mon Dieu », murmurait Côme.
Le regard oint.

---

[42] Citation attribuée au P. Bandelier par B.-D. de La Sougeole, dans le collectif *L'Eucharistie et le Prêtre* (Colloque tenu à Ars du 14 au 16 janvier 2000), Saint-Maur, *Parole et Silence*, 2000, p. 180.

Oasis de la contemplation.
Fiat de l'adoration[43].

Trente ans déjà.

J'avais le cœur tout brûlant. J'avais dix-huit ans.

Je fréquentais l'église — nous le faisions encore à peu près tous dans mon milieu —, mais la foi? À la messe, par acquit de conscience, je ne récitais pas le Credo. Féru de sciences — j'entrais à Polytechnique en septembre —, je citais du même souffle Descartes et Asimov. Je croyais au progrès, à la technique, à l'avenir, à l'expansion de l'humanité dans l'espace. C'était l'époque où on allait sur la lune. On n'avait pas encore percé la couche d'ozone, ni vidé la mer de ses poissons, ni modifié le code génétique des aliments. C'était avant les Khmers Rouges, le *Watergate*, les Jeux de 1972 à Munich, le sida, le Rwanda.

Peu de temps auparavant, un vicaire de ma paroisse[44], qui me connaissait pourtant peu, m'avait invité à faire partie du conseil de pastorale paroissial. J'y serais « le jeune ». Ce jour-là, tous les membres du conseil étaient réunis dans une maison de retraite à la campagne pour une journée de ressourcement. Un prêtre invité[45] animait la journée et conclurait en présidant la célébration eucharistique.

Nous sommes debout autour de la table.
Prière eucharistique.
Distrait, je regarde par la fenêtre.
Par-delà le parc, derrière le bleu du ciel,
l'immensité cosmique me fascine.
Je m'imagine voyageur interplanétaire.
Je vois la terre au loin, magnifique.
Et tout chavire.

---

[43] Expression empruntée à B.-D. de La Sougeole (voir note précédente). Le verbe latin *fiat* : « Que cela se fasse », évoque la réponse de Marie à l'ange.

[44] Mario Cadieux, prêtre du diocèse de Montréal.

[45] Jacques Fournier, alors au service de liturgie du diocèse. Mario Cadieux et lui furent les instruments du Seigneur. Éternelle reconnaissance.

Secousse, coup de vent ou brise légère :
les mots défaillent.
Mouvement. Irruption. Présence.
En un instant, le cosmos s'effondre,
se concentre en un point.
Devant moi.

En ce Pain que soulève le prêtre pour la grande doxologie
et dont, secoué, je ne peux plus détacher mes yeux.
Par Lui, avec Lui, en Lui.
Emmaüs, 29 mai 1971.

Natif de Montréal, **Pierre Grandmaison** fait ses études en musique à l'Université de Montréal. Boursier du gouvernement du Québec, il se rend à Paris où il se perfectionne en orgue auprès des maîtres Maurice et Marie-Madeleine Duruflé. En 1973, il devient titulaire des orgues de la basilique Notre-Dame. Il donne de nombreux récitals au Québec, de même qu'aux États-Unis et en Europe.

Compositeur, Pierre Grandmaison a écrit trois messes dont celle du 350e anniversaire de la fondation de Montréal, commande de la Société historique de Montréal. Il a écrit également des motets et la symphonie *Theos* pour chœur, orgue et grand orchestre. Il a été nommé chevalier de l'Ordre national des arts et des lettres de France et il a reçu le mérite diocésain monseigneur Ignace Bourget.

« Pour vous, qui suis-je? »

Parler de Jésus Christ dans ma vie personnelle, c'est accepter de mettre en lumière une amitié profonde avec lui. En ces années troublées, la vie est un défi de tous les instants. Elle nous appelle souvent à la fuite par le refus de l'engagement, des responsabilités à prendre et des obligations que celles-ci entraînent. Souvent, nous nous étourdissons au mépris de notre propre identité. Nous sacrifions beaucoup de nous-mêmes au « branché social ». Nous nous balançons au gré de vagues séductrices. Cette attitude nous convie au laisser-aller et au laisser-faire. Notre manque de vigilance fait de nous des robots et nous évoluons comme tel sur la route de l'anonymat. La technologie moderne de pointe, si appréciable soit-elle, nous rend dépendants d'une certaine facilité. Ne sommes-nous pas déjà arrivés au moment où l'humain est configuré à la machine, tellement celle-ci est devenue un élément incontournable dans le quotidien?

Notre société est en état d'hibernation spirituelle. Avons-nous accepté inconsciemment d'entrer dans la danse lugubre des morts-vivants? Sommes-nous enchaînés à la négation et à la non-signifiance d'une vie spirituelle agonisante? Pourtant, notre cœur continue de battre désespérément parce que la vie réclame ses droits.

L'oratorio *Les cris du monde*, d'Arthur Honegger, décrit avec justesse ce triste constat. À la toute fin de l'œuvre, on entend ce cri déchirant : « Délivre-moi...! » Brutalement, dans son enchaînement contrapuntique radical, s'achève ce monument sonore. Le silence répond à tous ces contrepoints haletants. Il apparaît comme la seule réaction possible face aux appels infernaux.

Le silence!… Faire silence!… Oui, mais à quel prix? Renoncer au monde? Tourner le dos aux découvertes scientifiques à notre portée? Mettre en veilleuse toute ambition légitime d'avoir sa place au soleil et de réussir sa vie? Ai-je bien interprété les données, alors que ma pensée est tout habitée par la parabole des talents de l'évangile?

Toute démarche a sa raison d'être à condition qu'elle trouve son point d'aboutissement en Dieu. Dans sa bonté amoureuse et créatrice, il nous a donné des charismes pour avancer sur le chemin de la découverte de son œuvre et lui rendre grâce pour ses bienfaits. Prendre le parti du silence, avoir le courage de se faire face et regarder au fond de soi, c'est déjà une prise de position qui nous amène à sortir du rang des « sans-espoir ».

Disons-le sans ambages, se recueillir, c'est accepter de plonger dans l'insondable et de porter attention à ses résonances d'éternité. Jésus, Verbe incarné, est la réponse mystérieuse de Dieu lorsqu'il nous dit : « Qui me voit, voit le Père…! » Jésus, je le découvre dans la profondeur de mon être. Quotidiennement, tant bien que mal, je me laisse interpeller par cette question : « Pour vous, qui suis-je? »

Lorsque je m'efforce d'y répondre, je constate que je vais à contre-courant d'un certain esprit du monde. Je participe à un combat : celui de l'éveil en Jésus Christ. Toute personne est en quête d'amour et de vie. Comme je me sens habité par le Christ, je découvre qu'il m'aime et me fait vivre.

Mon éducation n'est pas étrangère à cela. Si je remonte aux premières lueurs de ma vie consciente, Dieu a toujours été présent dans mon quotidien. Mes parents et mes grands-parents étaient des catholiques pratiquants. Pour moi, il était normal de prier. En famille, nous récitions le chapelet radiodiffusé en direct de la cathédrale Marie-Reine-du-Monde, présidé par le cardinal Léger, archevêque de Montréal. C'est un des moments marquants de ma jeunesse. Dans le cinéma de mes souvenirs, il est doux de revoir mon grand-père à genoux répondre à la « salutation angélique » que lançait le cardinal sur les ondes. Ou encore ma grand-mère, recroquevillée sur elle-même, son chapelet à la main, avec cette humilité confiante et sereine des personnes de foi. Ces images ont marqué à jamais l'enfant que j'étais. Ma mère… je l'ai toujours vue prier. Si mon père était pudique en ce qui a trait à ses sentiments, son comportement et ses paroles laissaient deviner un être croyant. J'ai donc grandi dans un contexte propice à l'expression de ma foi.

Sur ce point, on ne m'a pas empêché de vivre mes expériences de jeunesse, notamment celle d'être servant de messe. Comme les jeunes des années 50, j'ai grandi en toute quiétude sur le plan spirituel jusqu'à l'âge adulte. Si d'autres personnes ont vécu des conversions radicales au Christ, suite à une épreuve ou à un autre moment fort de leur vie, la pratique religieuse a été pour moi le *leitmotiv* de mon éducation générale. Je remercie d'ailleurs mes parents et mes éducateurs d'avoir été attentifs à m'instruire sur ce plan.

Ma nature d'artiste est toujours animée par cette évidence spirituelle. Très jeune, alors que j'étais servant de messe, j'étais fasciné par la beauté architecturale des églises. J'aimais laisser mon regard se perdre en ces lieux apaisants. J'y laissais vagabonder mon imagination. Je crois que c'était déjà une forme de prière, d'oraison silencieuse. Mes yeux s'attardaient alors au Christ en croix et j'étais bouleversé par l'impression que j'en retirais. Le crucifix me parlait beaucoup à cette époque. Encore aujourd'hui, lorsque je le regarde, je me rends compte que je le fais avec les yeux de mon enfance. Il faut ajouter à cela l'émotion intense que me procurait l'écoute de l'orgue. J'étais figé sur mon banc lorsque j'entendais ses sonorités aux douceurs éthérées ou parfois même eschatologiques. Je savais qu'un jour je deviendrais un organiste, un musicien d'église. Comme concertiste, j'aime aussi bien le répertoire profane que religieux. Mais je suis profondément saisi par ces pages écrites pour l'instrument à tuyaux.

L'adulte que je suis, avec son expérience de vie, arrive à identifier cette force mystérieuse et impérieuse qui l'habite : Dieu, en son Fils Jésus Christ! Ce qui me rend créatif, c'est l'amour. Dieu est amour! En lui, j'essaie de m'ouvrir aux autres et d'être disponible dans la mesure de mes moyens. Cette disponibilité est à l'exemple de celle du Christ, venu en ce monde pour sa mission rédemptrice. Il est important pour moi de me pénétrer de cette phrase de saint Jacques :

« Montrez-moi la foi sans les œuvres… moi, c'est par les œuvres que je vous montrerai la foi » (*Jacques* 2, 18). Cela rejoint l'engagement social dont je parle plus haut. Bien souvent, nous sommes tentés de le refuser par paresse ou par souci de préserver notre confort.

Cette réflexion suscite un appel quotidien à la conversion. Qui dit conversion ne dit pas seulement reconnaître ses péchés. Il faut également être ouvert à l'action de Dieu selon nos responsabilités respectives. Nous acceptons d'être ouverts à poursuivre l'œuvre du Christ dans notre quotidien. Dieu donne aux êtres humains des charismes qui les caractérisent. Grâce à eux, nous pouvons identifier la mission qui nous incombe sur cette terre où nous sommes de passage. Pour y arriver, nous devons toutefois faire l'expérience de l'abandon. En effet, ma condition de pécheur m'amène à jauger ma faiblesse en regard du projet d'accomplissement que le Seigneur désire pour moi. Mais, consolation suprême, cette même condition me permet de vérifier l'amour incommensurable et patiemment miséricordieux de Jésus pour moi. J'irai encore plus loin. La pleine conscience de mon état de pécheur me permet de communier au Christ. L'abîme de mes limites humaines rejoint celui de sa bonté inépuisable et inconditionnelle. Par moi-même, je ne puis rien. C'est le Christ qui me transforme! Il ne faut pas se cabrer, mais plutôt se laisser porter humblement par l'Esprit. À plus forte raison, nous devons rencontrer le Christ par la croix.

Accepter de mettre Jésus Christ dans notre vie fait de nous des éveilleurs de conscience. Le Christ nous dit : « C'est un feu que je suis venu apporter sur la terre, et comme je voudrais qu'il soit déjà allumé » (*Luc* 12, 49). L'invitation pressante de Jésus nous convie, à sa suite, à alimenter ce feu et à le répandre partout où nous allons.

Beaucoup diront que chaque personne est libre de faire ce qu'elle veut de sa vie. Notre corps nous appartient. Nous sommes libres de choisir nos propres voies, d'agir, de croire et de penser comme nous l'entendons. Nul ne peut être agressé dans sa manière d'être. Soit! Mais alors que faire? Il nous faut être des témoins du Christ par notre manière de vivre, de réfléchir, de prier. Si nous acceptons cette liberté de l'être humain, il importe justement de proclamer librement la foi qui est la nôtre. Nous pouvons alors la proposer dans une perspective d'exemple, de dialogue. Il s'agit d'être signifiants dans notre vie et de présenter l'exemple du Christ qui transforme. L'Esprit fait le reste. Nul ne peut prétendre convertir les autres. Cette grâce ne peut venir que du Saint-Esprit.

Vivre de l'Esprit, c'est aller à contre-courant d'une machination satanique comme celle d'une certaine publicité qui nous invite à vivre « de » et « par » nos sens. La séduction est une des armes particulièrement efficaces du Malin. Le Prince de ce monde nous masque sa laideur par une beauté trompeuse. Il nous atteint par le biais de nos fragilités. Satan triomphe à travers une certaine manière de concevoir la modernité et spécialement dans la réalisation de ce que l'être humain accomplit par la science. Le clonage humain et les manipulations génétiques en sont de tristes exemples. En effet, il est tentant de plonger dans l'autosuffisance devant les progrès accomplis chaque jour. Que devient notre sens de la morale et de l'éthique dans tout cela ?

Cette connaissance contient cependant le piège subtil de l'orgueil. De plus en plus, nous sommes convaincus que nous pouvons nous passer de Dieu. Mieux, nous en arrivons même à nous prendre pour Dieu. L'être humain ne se rend pas compte qu'il peut être victime de ses propres inventions. Sur le chemin de ses découvertes, il se bute à des illusions. À travers elles, n'est-ce pas Satan qu'il adore ? Voilà où l'inconscience peut nous mener. Saint Paul nous lance un cri d'alarme lorsqu'il écrit : « Voici l'heure de sortir de votre sommeil [...] Rejetons donc les œuvres des ténèbres et revêtons les armes de la lumière » (*Romains* 13, 11-12).

On peut être artiste, athlète, scientifique, dans une dynamique de vie spirituelle. Découvrir, repousser les frontières de l'ignorance est un devoir. Mais il faut le faire dans une démarche d'humilité profonde sans perdre de vue que ce Dieu que nous découvrons est bien au-delà de tout cela. Avec Jésus Christ dans ma vie, je ne peux qu'être en harmonie avec tout ce qui m'entoure et mes découvertes à venir. Le plus important, c'est que je suis en harmonie avec moi-même. Je fais ainsi le choix serein et confiant de suivre Jésus qui nous dit : « Prenez courage, j'ai vaincu le monde » (*Jean* 16, 33).

En ce qui me concerne, je suis musicien. La musique est le plus immatériel de tous les arts. Elle s'applique à exprimer la beauté inspirée de Dieu. Elle passe par l'âme de l'artiste, son émotivité, sa sensibilité, sa vérité d'être incarné qui peine souvent sur le chemin difficile de la vie. Si imparfait soit-il, tout artiste doit cependant être digne de l'art qu'il sert. La musique ne peut qu'être vraie. Je crois que tout créateur puise son inspiration en Dieu, lui-même incréé.

Quant au feu sacré, il s'enflamme à même l'incandescence divine. Pour l'entretenir, il est essentiel de revenir à cette source qui l'a fait naître. N'est-ce pas également le cheminement de la foi? Pour moi, la foi s'exprime notamment par la musique. Comme musicien, j'essaie d'être en état de service. Si je parviens à toucher les gens, je remplis ainsi la mission que Dieu me confie. Par la vérité spontanée de l'émotion exprimée, je crois être un éveilleur de conscience dans le respect de la liberté de chaque personne. Je ne peux alors qu'en être reconnaissant à celui dont je suis l'instrument, le messager.

Il n'est pas évident de vivre une telle expérience au quotidien. Souvent, je suis confronté à mes propres limites. Quand je suis sur le point d'abandonner, je découvre que Jésus m'habite même si je suis angoissé. L'entraînement à la prière me permet alors de toujours revenir à l'essentiel : le Christ. Relever le défi de mettre Jésus dans ma vie contre vents et marées, c'est accepter de m'accomplir à travers les charismes que Dieu me donne. Je peux ainsi participer à cette démarche d'édification de mon prochain. À juste titre, je médite donc la parabole évangélique des talents. À travers les gens que je côtoie, je découvre la mission qui est la mienne. L'accomplir, c'est grandir au quotidien en Jésus Christ et inviter les autres à grandir en lui.

Que laisserai-je après ma mort? Quelle importance... les œuvres sont éphémères. L'essentiel est de me fondre dans le Christ pour que mon prochain ne voit que lui. Que je disparaisse complètement derrière lui afin qu'on entende cette question à travers mon témoignage : « Pour vous, qui suis-je? » (*Matthieu* 16, 15).

Fernand Ouellette est né à Montréal, en 1930. Il a reçu à trois reprises le prix du Gouverneur général du Canada pour la littérature, de même que le prix David, le prix Duvernay, le prix Gilles-Corbeil et plusieurs prix littéraires de France ou de Suisse. En 1997, il est élu membre d'honneur de l'Union des écrivaines et écrivains québécois (UNEQ).

Parmi ses œuvres poétiques, mentionnons *Poésie* (1953-1971), *En la nuit la mer* (1972-1980), *Les Heures* (1987) et *Au delà du passage* (1997). Comme essayiste, il a publié une biographie d'Edgard Varèse, en 1966; *Depuis Novalis, errance et gloses*, en 1973; une autobiographie intitulée *Journal dénoué*, en 1974; *Commencements* (sur la peinture), en 1992 et *En forme de trajet*, en 1996. La même année, il publiait une étude sur Thérèse de Lisieux, intitulée *Je serai l'Amour, trajets avec Thérèse de Lisieux*, puis, en 2001, *Autres trajets avec Thérèse de Lisieux*. En 1997, il fait paraître un autre essai autobiographique, *Figures intérieures*, suivi, en 2002, par *Le Danger du divin*. En 1998, il publie un *Choix de poèmes* dans la collection du Nénuphar, chez Fides, où en 1997 il a fondé la collection « L'expérience de Dieu », dans laquelle il publie *Dina Bélanger*, *Délia Tétreault* et *Thérèse de Lisieux*.

Le Christ me « fait vivre de Dieu »

S i le Fils de Dieu (cf. *Jean* 10, 36) lui-même ne s'était pas incarné, je m'approcherais difficilement d'un être inaccessible, d'un créateur en marge du monde. Bien entendu, j'appartiens à une tradition. Il va de soi que je ne me réfère pas ici au Dieu vivant de l'Ancienne Alliance, car c'est bien le Dieu d'Abraham, d'Isaac et de Jacob qui va glorifier son Fils. Pour moi, dont la foi naît après la venue du Christ, c'est le « Verbe fait homme qui est le Docteur des hommes », le « Révélateur » de la présence du Père. J'ai une confiance telle en lui que je suis assuré, dans le « fond de mon âme », qu'il est l'amour, la « présence absolue de Dieu » (K. Rahner), le seul qui puisse fonder et transfigurer mon être et ma vie. Par conséquent, pour moi, la vérité est avant tout quelqu'un, une personne, l'Unique que je rencontre. Je ne saurais croire en Dieu ni tenter de l'approcher, en agissant comme si le Verbe ne s'était pas incarné et que j'appartenais à l'Israël d'avant son incarnation. Je ne saurais imaginer non plus qu'un être humain, fût-il prophète, puisse intervenir dans l'histoire, après l'incarnation du Verbe, pour accomplir la révélation du Dieu transcendant, et que notre Jésus Christ ne soit que son précurseur. Je n'ai pas d'autre Dieu que celui que m'a révélé le Christ. Car le Fils « parle Père ». Sa parole rayonne de l'amour de l'Esprit. Son Père est en lui et lui, en son Père (cf. *Jean* 10, 38). Mais avant d'entrer dans le secret de mon histoire plus intime avec lui, je vais essayer d'évoquer quelque peu celui avec qui j'entre en relation.

L'histoire du salut

À partir de son humanité, événement dans le temps de Tibère, Jésus regarde, nourrit les êtres humains avec l'amour du Père, avec l'amour du Fils, avec l'amour de l'Esprit. Jésus (du grec *Ièsous*) se dit en hébreu *Yechûa* ou « Yahvé sauve ». C'est dans sa nature. Jésus se manifeste parmi les hommes en ouvrant la joie et la paix, certes, mais il se met aussi dans un état de péril radical, dans le plus parfait dénuement, en se livrant à la liberté des humains. Il ne vient pas prouver l'existence de son Père (M. Deneken), pas plus, sur un autre plan, à mon échelle, qu'en contemplant l'être du Christ, en l'aimant, je n'essaie de prouver sa dimension divine, la véracité de l'affirmation « vrai Dieu, vrai homme ». Sa venue est l'événement par excellence et l'action de salut. Nous savons que le Christ agit sans cesse en vertu d'une autorité fondée sur son obéissance au Père. Son corps en est le temple. En lui, nous adorons le Père.

Jésus, nous le savons, ménage notre intelligence, en recouvrant sa vérité avec des images. Mais le mystère n'en demeure pas moins présent. L'être humain doit s'acclimater au mystère. De la sorte, il trouvera sa vraie nature. Car le Christ est venu pour sauver l'être qui doit vivre en l'amour de Dieu. C'est pour avoir fait une telle trouée infinie dans l'histoire et dans la condition humaine, sans affaiblir le mystère, qu'il va mourir et renouer, grâce à sa mort-résurrection, notre lien avec le Père, et qu'ainsi la « folie » du christianisme va se propager. Or, en évoquant ici le Christ ou en lisant l'Écriture sainte, je ne me réfère pas, bien entendu, au Messie à venir, mais au Messie venu et à celui qui va revenir. Celui à qui l'apôtre Pierre s'adresse : « Seigneur à qui irons-nous ? Tu as des paroles de vie éternelle » (*Jean* 6, 68). Les paroles du Maître et Seigneur (*Jean* 12, 13). Les paroles du Sauveur, celui qui donne la vraie vie à l'âme. Les paroles qui nous transforment. C'est pourquoi je pense qu'un chrétien, est moins doloriste qu'assoiffé du Christ et de résurrection.

La Providence

Par l'envoi de son Fils, Dieu est l'inventeur, le génie d'une providence sublime. Il nous enveloppe dans sa bonté. La providence, comme une grande musique, module la liberté de Dieu et celle de l'homme. C'est une façon de co-agir. Dieu n'allume pas l'amour sur terre pour le mettre sous le boisseau ni pour nous laisser désespérer. Il ne faut pas confondre Dieu et l'ordre aveugle, contraignant de l'Univers. Encore moins concevoir un Dieu à l'image de Jupiter ou d'un tyran. L'amour du Père ouvre nos vies en brisant, en nous, l'ordre du créé et du mortel. Grâce à son Fils, Il nous reconnaît comme ses enfants. Il se laisse apprendre à travers le Christ. Il accepte que nous devenions une manifestation unique de son amour. Il nous déifie en nous regardant. Voilà ce qu'est la providence de Dieu qui est de l'amour s'incarnant et agissant avec la chaleur de son infinie miséricorde. En elle, sa fidélité irradie comme sa gloire. Le Christ est avec nous jusqu'à la fin de l'histoire du salut (cf. *Matthieu* 28, 20). Voilà « l'événement Jésus ». Voilà la foi, l'espérance dont, comme chrétien, je dois rendre raison, disait Pierre (cf. *1 Pierre* 3, 15).

Maintenant

Je crois maintenant au Christ en qui Pierre et Jean ont cru (saint Augustin). Je me relie à Jésus dans la continuité des témoins. Je suis en communion avec tous les croyants. Dans le peu d'années dévorantes qui me restent à vivre, je veux me réclamer du Christ comme un enfant, avec amour, sérénité, audace et tolérance, pour aller vers le Père et croire à sa fidélité. Je veux travailler à rassembler avec lui les enfants du Royaume. Je confie mon être historique, ma proche expérience de la mort, mon espérance, en somme, ma totalité d'être et ma plénitude finale à l'Esprit saint, dans le corps mystique du Christ.

De plus en plus, j'ai mal de tout ce qui dénigre le Christ, le diminue, le réduit à un Jésus historique soi-disant zélote ou essénien. Je pense en particulier aux opinions « démythologisantes », corrosives, prétentieuses qui remettent sans cesse en question l'identité de Jésus

Christ. Je pense aux tentatives de certains professeurs d'ébranler l'Évangile avec des romans d'écrits disparus, avec des appréciations qui s'éloignent de l'essentiel. Je pense aussi aux insinuations de quelques professionnels des sciences de Dieu, à leurs travaux multiples qui veulent justifier toutes les ruptures historiques avec l'Église, et cela parfois pour « s'installer avec bonne conscience dans la division chrétienne », disait un théologien. Que de « savants » s'imaginent avoir enfin vidé le mystère, comme s'il était épuisable. Sans parler de quelques journalistes, gonflés de leurs bribes de science historique, qui se prennent pour des maîtres. Quelques-uns décochent même leurs préjugés comme des crachats à la face du Christ, comme des insultes de soldats qui demandent à Jésus de descendre de la croix.

Je tente d'aimer, avec mon être pauvre et petit, celui qui sur la croix m'a « pressé sur son cœur », dit une vieille prière espagnole. Et puisque c'est le Verbe incarné qui est mort sur la croix, sa mort est merveilleuse comme sa résurrection. J'aime donc celui qui, en me regardant, me décape, m'enlève écaille sur écaille de l'âme, efface une à une les traces de ma liberté défectueuse et maintient vive la braise. Lui seul ne me condamne pas à vivre avec moi-même et mes démons. Lui seul allège mon impatience avec sa patience infinie. Il m'attire puissamment vers la lumière du Tabor. Il me fait vivre dans sa résurrection, dans sa relation au Père. Car le corps ressuscité du Christ n'est pas un corps réanimé qui revient dans le monde, mais bien un corps qui provient de Dieu à travers la nuit, un corps de gloire qui vit en Dieu, une « création de Dieu, un élément de la nouvelle création » (C. Geffré) que seule la foi peut identifier. Se déplie ainsi, avec ma foi au Ressuscité, tout mon espace intérieur d'être humain. Et pourtant, voilà la grandeur que, depuis quelques siècles, on s'acharne à mettre sous le boisseau, en entrant dans la spirale d'une pénurie d'amour qui provoque notre propre destruction.

Nous ne pouvons vraiment exprimer notre rencontre avec Dieu que de la façon la plus personnelle, soulignerait Henri de Lubac, et avec des « vues de dos », puisque notre face à face avec lui, ici-bas, est impossible, que notre Dieu transcendant est caché le plus souvent.

« Tu as caché ta face » (*Psaume* 30, 8). Nous vivons dans le temps de la présence absente. Avec un Dieu qui de plus semble se taire au-dessus des horreurs de l'histoire. Comme le remarquait François Mauriac, ce qui est horrible, « ce n'est pas l'absurde du monde sans Dieu, mais l'absurde du monde avec Dieu ». L'infini de la misère humaine semble engloutir les jours et les êtres qui viennent. Mais le Christ m'a fait comprendre une vérité essentielle : Dieu n'est jamais absent. Encore aujourd'hui, c'est moi qui manque le rendez-vous avec lui, comme c'est moi qui l'ai fui pendant tant d'années. Du moins, c'est bien la voie que j'ai suivie concrètement dans ma vie.

Rencontres

Je me souviens d'une première rencontre avec Jésus, alors que j'avais trois ou quatre ans. J'étais dans les bras de ma mère et je pleurais pour embrasser les pieds d'un Christ immense qui s'élevait sur une croix à l'entrée de notre église. Encore aujourd'hui, je me revois devant le crucifix, comme si la vie n'avait pas réussi à effacer un pareil souvenir. Tout reste vif. Mes larmes d'enfant ont peut-être ainsi nourri des élans du cœur ou germé dans quelques replis mystérieux de l'âme où travaille la lumière… Je suis retourné, soixante-quatre ans plus tard, à l'église de mon baptême, pour revoir le crucifix. Il était encore là, mais déplacé dans une chapelle latérale, et combien plus petit, moins impressionnant que celui que mes yeux d'enfant avaient contemplé. Et surtout, j'ai découvert, comme une autre grâce, la fresque du chœur immense consacrée à la Pentecôte, événement grandiose lié si profondément à ma conversion. Car le Christ et l'Esprit saint sont maintenant indissociables dans ma vie. Ils m'aiguillent vers le champ d'attraction du Père. Ce sont mes deux pôles sans lesquels je ne pourrais me saisir moi-même. Ma vie me serait illisible et, d'une certaine façon, absente. Comme si je poursuivais des ombres de ma conscience, des chimères, alors que la solidité du réel qui m'environne semble prendre racine dans la puissance économique ou dans les visions des militaires qui veulent construire leurs murailles dans l'espace.

Dérive

La rencontre, tôt dans ma vie, avec Jésus de Nazareth a été trop profonde pour que subitement, par la suite, le Christ sur la croix perde sa réalité divine. Des années plus tard, lorsque je m'écarterai quelque temps de l'Église et des sacrements — beaucoup trop longtemps, durant trente-sept années —, après mes trahisons, j'aurais pu dire malgré tout avec Pierre, en recueillant chacune de ses larmes pour les offrir au Christ : « Seigneur, toi qui connais toutes choses, tu sais bien que je t'aime » (*Jean* 21, 17).

Il y a quelque chose d'absolument miraculeux dans le fait que j'aie réussi à sentir la présence, la proximité du Christ dans ma vie, alors que j'en étais si loin dans mes actes et dans mes désirs et que je tentais maladroitement de sauver ma vie, dirait Jésus (cf. *Matthieu* 16, 25)… Dans une pêche vaine et sans prises, de défections en défaillances. Toutefois, malgré mes écarts, c'est Jésus Christ lui-même qui n'a pas lâché son emprise, qui a fait ses assauts depuis l'intérieur même de mon âme. Il n'a eu de cesse de m'investir. Je savais que je l'aimais toujours, même si je l'aimais avec lâcheté et que je m'enfuyais le plus souvent. J'avais un pauvre amour… Comme j'étais et demeure un être pauvre et petit, quand je me tourne vers le Christ, car c'est la seule façon de l'approcher. Mais j'appelle dorénavant en moi un amour qui s'efforce malgré tout de prendre la « petite voie » et l'ascenseur de Thérèse de Lisieux. Un amour qui voudrait bien se laisser porter par le Christ lui-même.

Voilà ce qu'est le don du Christ quand il a décidé, malgré nous, de rester derrière notre épaule, d'être avec nous à jamais comme il l'a promis. C'est pourquoi je demeure complètement stupéfait quand je pense à l'amour qu'il n'a cessé de me témoigner, alors que j'avais l'esprit et le cœur dans mes désirs, dans le « monde » et dans la trahison. J'étais un être humain qui ne pensait, après des années de scrupules et de moralisme janséniste, qu'à retrouver un équilibre, un apaisement dans un accord avec la vie, avec ses richesses, avec ses beautés, avec ses joies. En quête d'une saturation de tous mes sens. Plus attiré par la mosaïque des possibles que par une communion de l'être en quête de Dieu, avec le souci d'un travail d'évangélisation. Je vivais, dirait le pape Jean-Paul II, avec une vie religieuse et une éthique minimalistes.

C'était une époque où l'on craignait de plus que la Bible nous déboussole, tellement on faisait peu confiance à l'Esprit saint qui n'aurait pas manqué, pourtant, de la méditer avec nous, de nous en ouvrir le sens, si nous l'avions appelé. L'écueil n'était pas de lire la Bible, mais de la lire sans prier, sans nous orienter vers les paroles transformantes, sans une solide initiation. Comme elle m'aurait touché, la réaction d'Abraham, son « immédiatement », lui qui quitte tout pour aller vers le pays promis (cf. *Genèse* 12, 4), lui qui accepte d'une certaine manière, sur-le-champ, une mutation d'identité! Comme elles me frappent aussi son intercession pour les justes, sa foi dans l'épreuve, lorsqu'il lève le bras armé pour immoler son fils! Quelle lumière dans cette action, fortifiée d'espérance, quel amour naissant!

Je me perçois donc, encore aujourd'hui, plus près de la lâcheté et des larmes de Pierre que de l'incandescence et de la science de Paul. Conscient de l'exigence de sainteté qu'appelle le baptême. Une conscience qui brûle l'intérieur de l'être, qui ne peut que le brûler puisque Dieu l'habite en son fond, diraient les mystiques. Et les flammes de Dieu ne sauraient nous laisser du répit. Mais comment pourrions-nous survivre sans lui qui est conscient de notre malheur, « riche en miséricorde; à cause du grand amour dont il nous a aimés » (*Éphésiens* 2, 4)? Sans « l'armure de Dieu », sans le « glaive de l'Esprit » (*Éphésiens* 6, 13.17), c'est-à-dire sans sa Parole, sans un peu de volonté appliquée à soutenir un esprit qui se désarrime sans cesse des grâces reçues... Un esprit balayé par tous les actes contaminants d'une vie antérieure, alors que l'absolu semblait si loin, si irréel. Car on va vers Dieu avec son présent, avec son espérance, le plus intensément possible, certes, mais aussi avec un passé qui a peine à nous suivre. Celui-ci intervient sans cesse pour nous ralentir, pour nous enliser dans ses ornières. C'est bien là un aspect du travail de la mort en nous. Il faut nous alléger, nous rendre transparents pour que la lumière de Dieu nous traverse.

Conversion

Durant tant d'années, je n'ai donc eu ni la force ni le courage de revenir aux sacrements. Trop de pesanteur, dans un moi durci par ses actes et son éloignement, trop de révoltes toujours prêtes à éclater étouffaient ma volonté. J'allais, me disant que, si Dieu ne me foudroyait pas comme il l'avait fait pour Paul, jamais je n'aurais la force de vouloir revenir dans son champ d'attraction, par la voie de l'Église. De reprendre la vie essentielle des sacrements. Car c'est l'eucharistie qui me manquait le plus gravement.

Au cœur de la nuit d'une Pentecôte, l'Esprit a eu l'infinie miséricorde de m'appeler. Comme s'il m'avait tenu l'esprit dans la main pour que je me redresse hors du tombeau, pour que je laisse agir sa lumière. Tout mon cœur en fut illuminé, comme s'il s'était mis à sourire à l'Esprit. Et le corps lui-même s'est redressé, a suivi l'âme qui s'allégeait. La flamme et le souffle de l'Esprit m'ont ainsi rendu léger. Ils ont ouvert la voie dans mes ténèbres. Je peux aujourd'hui très calmement évoquer cette nuit, puisqu'elle appartient à Dieu. Je ne fais que témoigner, retranscrire son acte, sa merveille. Peu à peu, je me rééquilibre. Je m'apaise.

Le Christ est en moi, aujourd'hui, pour le dire d'une façon imagée, le portail de la Trinité, ma voie d'accès. Je suis beaucoup plus préoccupé par la question de l'expérience de Dieu que par une projection de moi-même comme chrétien de gauche ou de droite. Mais si l'Esprit ne me travaille pas, je suis comme un tronc d'arbre mort évidé par les fourmis. Je n'ai qu'une écorce de croyant.

L'Évangile

Durant ces longues années, je n'ai jamais cessé d'interroger le Christ, de lire maints ouvrages sur lui qui traverse l'Ancien Testament à pas feutrés. Il vient de loin, disait un auteur. Je reste touché par la scène sublime de Jésus endormi dans la barque. Car fréquemment, ainsi que les Apôtres, je suis agité, angoissé, alors que Jésus paraît dormir. Je sens intuitivement qu'il faut beaucoup d'humilité pour aborder la parole divine et les mystères. Une parole qui jaillit le plus souvent en paraboles comme une eau vive. J'aime les paraboles qui nous éveillent, qui ont la force de nous mettre à découvert. On les reçoit pour mieux se découvrir et s'épurer l'âme. Dieu s'y révèle, l'être humain s'y découvre. C'est un « espace de rencontre », disait bien le père Yves Congar. La parabole se déploie pour nous apprendre à nous diviniser.

Je vois mieux surtout que je n'ai pas suffisamment de foi. Pas plus que le sens profond de l'abandon. J'ai quelquefois le cœur plein de bouillonnements face aux persécutions qui sont réactivées contre les chrétiens. Il me semble que je suis trop souvent secoué par les tempêtes de haine qui sévissent dans le monde, sans voir Jésus endormi dans la barque. J'ai mal à la naïveté dissolvante qui remplit les sectes de poussées verbales et de rythmes musicaux. Or, le Christ est bien là qui vit en moi, beaucoup plus vivant que je ne lui suis à moi-même, dirait saint Augustin. Il me tient vivant à force de regard d'amour sur moi. Il est l'unique qui peut m'aider à modeler le visage de l'être qu'il attend de moi depuis le commencement, de l'être que je suis en train de préparer pour mon entrée dans le Royaume, un être que je ne puis travailler, buriner qu'avec des éclats en moi de la lumière du Verbe. J'essaie, dans ma faiblesse, dans ma pauvreté, de demeurer dans l'amitié de Jésus, en lui, comme il le demande : « Demeurez-en moi, comme je demeure en vous ! » (Jean 15, 4). Par lui, je m'efforce de contempler « le visage du Père ». De m'orienter vers lui dans l'action de grâce. Dans la lumière de sa Pâque.

Le Verbe

L'Esprit saint est indissociable du Père et du Fils. Avant d'être Jésus Christ, celui qui me découvre le Royaume, le Christ est le Verbe s'abaissant jusqu'à la crèche. Il provient de la Trinité : « Avant qu'Abraham fût, Je Suis » (Jean 8, 56). Avec les disciples d'Emmaüs, il dévoile ses préfigurations tout au long de l'histoire du peuple juif, ce qu'il sait de lui comme être en assomption dans les Écritures et dans l'histoire. Il concentre pour nous, les êtres humains, la lumière de l'amour trinitaire. Il agit comme une sorte de vecteur qui guide notre amour vers l'amour de la Trinité. C'est pourquoi il est bien le seul qui nous connaît en profondeur, non seulement parce qu'il est venu parmi nous, a pris notre corps, mais surtout parce qu'il aime intensément les personnes, qu'il les refaçonne depuis le dessein même de la Trinité. « Il savait, quant à lui, ce qu'il y a dans l'homme » (*Jean* 2, 25). Il est allé au fond de l'être humain pour l'éclairer. Il nous a appris que le corps n'est pas mauvais en soi puisqu'il a pris corps. Il a fait le long apprentissage de notre nature humaine, lentement, comme tout fils d'homme, pour bien apprendre notre langage sur l'être humain et le monde. Il sait quelle est la portée de ses mots. Il sait de quoi il parle. Surtout quand il regarde la mort, qu'il affronte les esprits mauvais. Surtout quand il entend la clameur muette des enfants, bouche ouverte dans les décombres, ou qu'il aperçoit un crucifié à l'entrée de la ville.

Le Fils du Dieu vivant et le Fils de l'homme

Que le Christ soit le Fils du Dieu vivant, « vrai Dieu et vrai homme », veut tout dire pour moi, dans une époque où l'on remet de nouveau en question la divinité de Jésus. Bien entendu, il meurt pour nous racheter, mais il meurt aussi pour ne pas trahir son identité de Fils. Renier sa divinité est l'atteinte la plus grave que nous puissions faire à son identité, à la signification de sa mort.

Pierre affirme : « Tu es le Christ, le Fils du Dieu vivant » (*Matthieu* 16, 16). Son cri fait partie des éclats lumineux, des hauts dialogues de Jésus avec ses disciples. Rien n'est plus émouvant ni plus simple. « Qui suis-je pour vous ? », demandait le Christ. Comme s'il s'enquérait du degré de pénétration de son message, qu'il envoyait une sonde dans leur âme pour savoir à quelle profondeur il les rejoint. Tout s'illumine.

« Jamais homme n'a parlé comme cet homme » (*Jean* 7, 46). Pourtant, dans nos colloques intimes avec le Christ, nous tentons de nous justifier. Nous protégeons nos appétits, nos jouissances, nous nous posons en sophistes, nous jonglons avec les béatitudes. Nous jouons avec le langage de la vie et de l'être humain dans le monde. Que notre sincérité est fragile !

Si le Père apprend à Pierre que Jésus est « le Fils du Dieu vivant » et que l'on pourrait ainsi parler de forme descendante, révélatrice de son nom, le Fils nous apprend lui-même qu'il est le Fils de l'homme. Il ne dit qu'une seule fois, me semble-t-il, qu'il est le Fils de Dieu (cf. *Jean* 10, 36). L'expression « Fils de l'homme » est la forme ascendante de son nom, pourrions-nous préciser, le nom du Fils en voie de glorification (cf. *Jean* 12, 23), du Messie annoncé, préfiguré dans plusieurs passages de l'Ancien Testament et symbolisé aussi par l'Agneau exalté dans l'*Apocalypse*. Toute ascension véritable ne peut se faire que par le Fils de l'homme. Cela m'apprend, à travers sa mission parmi nous, qu'il est l'homme nouveau qui nous conduit vers le Dieu vivant. Celui en qui Dieu descend et monte, en qui s'opère la jonction la plus sublime de Dieu et de l'humain. Je dois moi-même faire le chemin avec lui, à travers lui, du Fils médiateur vers le Père. Ce n'est qu'ainsi que je sais qui je suis.

Médiations et langage

Je reste très attaché aux médiations multiples, propres au christianisme. L'incarnation du Fils a tout rendu possible. Mais les médiations elles-mêmes tirent leur sens « uniquement de celle du Christ ». Le Verbe se médiatisait dans l'être de Jésus et dans son histoire, dans notre histoire, il se rendait présent « dans le temps du monde ». C'est dire aussi l'humiliation que l'être suprême s'infligeait, pour reprendre des mots de Levinas, c'est dire quelle force, quelle puissance cela suppose. Le plus déroutant pour un non-croyant est que Jésus Christ incarne, se considère la dernière parole du sens de l'humain, comme l'accomplissement en lui-même de l'intervention de Dieu. En définitive, il met fin à l'histoire. Tout le reste n'a de sens que dans la relation, celle de chaque personne avec Jésus Christ. « Tout est achevé » (*Jean* 19, 30).

Je vois bien que tout cela peut sembler s'évanouir dans l'irréel. Comment pourrions-nous encore parler de prodiges et de l'amour sans un accompagnement profond de l'Esprit? Comment comprendre que notre propre charité est une participation à l'amour de Dieu? dit le père Congar. Où trouver l'échelle de Jacob, le langage qui passe de Dieu aux hommes comme des hommes à Dieu?

On ne cesse de se demander quelle sorte de langage peut bien atteindre les humains d'aujourd'hui? Mais Dieu lui-même communique à travers toutes les langues, tous les langages. La leçon de la Pentecôte est suffisamment explicite. La parole du Verbe, par essence, se laisse véhiculer dans toutes les homélies, traverse toutes les cultures et se fait entendre dans toutes les langues quand le cœur la transmet... Il suffit également que le cœur soit attentif et alors il percevra la Parole même dans le silence.

Une grande partie de la déperdition chrétienne, à notre époque, tient au fait que le langage chrétien, transmis à travers les siècles, s'est affadi. Il s'est laissé polluer par les excès d'une raison qui se croit suffisante ou bien s'est sécularisé. Nous avons perdu peu à peu l'esprit, le noyau des mots qui gravitaient autour du Verbe et qui en recevaient des rayons, des éclaircissements qui nourrissaient naturellement l'intelligence du cœur. Sans le Christ toujours accessible, nous sommes irrémédiablement des orphelins coupés du Père. Et coupés de la grâce qui nous déifie.

Avec la foi

On me demande de témoigner du Christ au moment même où je suis en train de lire la magnifique lettre apostolique du pape Jean-Paul II : *Novo Millennio Ineunte*, du 6 janvier 2001. Celle-ci insiste fortement sur la contemplation du visage crucifié et ressuscité du Christ. Le pape a bien raison de dire que c'est vers le Christ ressuscité que nous nous tournons. Vers le visage « dans lequel est cachée la vie de Dieu et est offert le salut du monde ». C'est pourquoi, même après la résurrection, le Christ était si difficilement reconnaissable et que, sans le don de la foi, il avait l'apparence d'un jardinier ou d'un compagnon de route. C'est seulement avec la foi que la rencontre pouvait avoir lieu. Les disciples devaient passer du monde sensible au monde de la foi et de la charité. Ils devaient reconnaître le Christ dans sa transmutation spirituelle. Et pourtant, il mangeait avec eux, il offrait ses plaies à Thomas. C'était bien le visage que les Apôtres connaissaient, c'était bien son corps, mais transmué. Le tombeau était vide. « Je suis avec vous tous les jours jusqu'à la fin des temps » (*Matthieu* 28, 20). Non pas je « serai », mais je « suis ». Immédiatement et à jamais. Voilà ce qu'il leur fallait assimiler de toute leur âme, comme une nourriture impérissable. Il proposait son existence comme « mystère » et comme « Seigneur de gloire ».

Dans notre culture

Le Christ a transformé et donné un sens à notre vie. Tout dans notre monde et dans notre culture reste marqué par les béatitudes qui frappent le cœur et le langage comme des éclairs. Par son passage parmi nous, Jésus bouleverse et déstabilise les consciences collées à la lettre et aux rituels. Nous en retrouvons aussi des traces dans les intuitions, les prises de conscience qui appellent la justice et la solidarité entre les hommes et les femmes, dans notre façon de vivre en communauté, dans nos institutions. Notre culture en est imprégnée, même lorsque nous imaginons pouvoir construire le monde sans le Verbe. Notre droit serait incompréhensible sans l'enseignement du Christ et sa transmission à travers la présence et la tradition de l'Église. Dans tout ce qu'elle a reçu, tout ce qui transmet la présence de Celui qui est la vie et l'amour, comme la mémoire vive, l'action de tout ce qui a agi et continue d'agir en elle. C'est tout cela qui fonde l'identité de l'Église et des croyants. Même lorsque nous nous pensons plus adultes et complexes, notre complexité tragique reflète encore mieux le Christ, disait le pape Paul VI. Ainsi que l'écrivait le pape Jean-Paul II, il ne s'agit pas d'imposer notre foi aux non-croyants, mais il nous faut « interpréter et défendre les valeurs fondées sur la nature même de l'être humain ». Sans quoi, nous dissolvons sa réalité. Avec ma foi, une foi agissante, et avec mon amour, je dois affronter mon époque en grande partie déchristianisée. C'est bien avec mon cœur battant, inaudible, que seul le Christ entend, que je dois poursuivre ma propre histoire. Ce qui n'est pas simple, même sur ce plan-là. La conscience que nous pouvons avoir du délabrement spirituel dans l'humanité, de ce qui déraille, la souffrance qui en résulte pour les humains qui subissent les injustices et les tortures, parfois au nom de codes sacrés, parfois au nom d'un besoin d'ordre et de pouvoir de généraux dits chrétiens, est une souffrance qui serait vraiment insupportable si le Christ n'était pas parmi nous, avec nous. Si la Jérusalem céleste ne s'édifiait pas en lui, dans son corps mystique. Si nous n'avions pas la possibilité de prier.

Prier

Prier, c'est être avec lui. Il est là, il nous écoute, comme personne ne le fera jamais, avec une attention et une fidélité absolues. Prier, c'est non seulement supplier, demander, c'est faire silence pour que l'Esprit grave son vouloir dans tout l'être. Lui seul sait écouter notre silence et le déchiffrer. L'ouvrir pour déceler le besoin vital comme la souffrance qui en nous se tait. Et avec quelle tendresse! Avec quelle espérance pour nous! C'est la façon qu'a l'Esprit de nous unir au Père et au Fils. C'est pourquoi Jésus nous a dit de prier avec très peu de mots, car le Père sait ce dont nous avons besoin.

Il arrive que la prière silencieuse agace certaines personnes. Il faudrait, selon elles, qu'on anime l'eucharistie le plus possible. Qu'on la mette en scène comme un spectacle, en somme, qu'on réveille les esprits, suscite une interaction. Peut-être cette idée naît-elle de l'influence des mouvements charismatiques, eux-mêmes influencés par des sectes protestantes américaines comme les Pentecôtistes? On pense sans doute avoir ainsi plus d'efficacité, en exaltant l'assemblée, que l'Esprit saint lui-même qui agit dans le secret des âmes, malgré nos esprits distraits, douloureux, préoccupés par leur vie quotidienne. Mais l'Esprit est tout de même parmi nous, « car nous avons tous été baptisés dans un seul Esprit, en un seul corps » (*1 Corinthiens* 12, 13). Pourtant, malgré les efforts d'une pastorale sans doute un peu étouffée dans son propre langage, obsédée de morale et qui n'a pas de racines assez profondes dans une véritable spiritualité, les églises restent vides. Ce qui est pour le moins dramatique. Quelle efficacité peut bien avoir cette bonne volonté sans l'apport des sacrements? Car la séduction, nous le savons, n'appartient pas au Christ, mais bien au

Tentateur. Quand il ne s'agit pas d'une adaptation simple pour les enfants, je reste donc perplexe face à des présidents d'assemblée qui se morfondent à trouver des moyens plutôt propres au spectacle, au *happening*. Ils semblent chercher à fuir la « source d'eau vive », à creuser des « citernes fissurées », dirait le prophète Jérémie (2, 13), à se fonder sur ce qui appartient au monde, à la sphère des émotions. Ce sont des moyens, nous le savons, si habilement exploités par les sectes dont toute la stratégie en est une de séduction. Mais de quelle action spirituelle en profondeur sont bien capables les émotions collectives, sinon de nous faire prendre conscience du corps de l'Église, de nous gratifier de souvenirs émouvants? Qu'en reste-t-il, à long terme, pour des gens saturés de spectacles et de télévision, si la vie sacramentelle et la prière ne transforment pas les cœurs?

Comment œuvrer aussi, avec l'Esprit, à faire désirer la sainteté au profond des êtres humains, travail qui peut ressembler à celui de Sisyphe roulant son rocher vers le sommet d'une pente? Les faire marcher avec Dieu… leur faire comprendre qu'il n'y a pas d'autre façon d'être humain… Quoi dire de bien modulé, de bien embrasé par l'Esprit, qui va toucher l'âme? Le Christ lui-même ne disait que quelques mots qui allaient droit au but, avec autorité : « En vérité, en vérité, je vous le dis, si quelqu'un garde ma parole, il ne verra jamais la mort » (*Jean* 8, 51). Voilà ce que les humains veulent entendre. Non pas des accords de guitare, mais des paroles de vie, comme un ruisseau puissant au printemps. Des paroles ressourcées, pétries par la Parole. Il faut s'asseoir avec eux, appeler la grâce sur soi et sur eux, et faire éclater la gangue des mots, les libérer comme des « lions aveugles », disait Léon Bloy. Accueillir une à une les paroles du Christ qui sont gorgées de lumière et ouvrent les yeux. Les rendre nécessaires comme des rayons de soleil. Parler à tous de l'événement foudroyant qui a refait l'être humain et bouleversé l'histoire du monde. Voilà la seule bonne nouvelle. La grande joie annoncée (cf. *Luc* 2, 10). Nous sommes aimés. Réjouissez-vous!

Vers le Royaume

Le Royaume est une communauté d'amour en la Trinité. Parmi nous, en nous, il s'édifie de cœur à cœur, quand nous brûlons de charité. Il est en expansion comme l'Univers. Dans la communion des saints. C'est bien ce que souhaitait exprimer Thérèse de Lisieux en voulant agir pour les êtres humains, après sa mort, depuis sa présence même montant en Dieu.

Voilà un élément puissant du mystère. Et c'est ce qu'est venu nous enseigner Jésus, dans sa façon non seulement de faire l'œuvre de Dieu, mais de nous dévoiler à quel point est puissant son lien d'amour avec le Père et avec l'Esprit. Lien indicible qui lui permettra de regarder la mort avec ses yeux d'homme et d'accepter le silence du Père, la descente aux enfers, pour mieux revenir à travers son corps mort.

Nous sommes ici-bas dans une sorte d'entre-temps, entre le temps et l'éternité : le « déjà », mais « pas encore ». Nous avons l'obligation de réfléchir la lumière de Dieu pour ceux et celles qui nous entourent et cheminent avec nous. De devenir indissociables du Christ dans son œuvre de lumière du monde car, sur sa voie, avec lui, nous devons être le sel de la terre et la lumière du monde (cf. *Matthieu* 5, 14). C'est en lui, le Verbe, qu'est la vie et celle-ci est lumière (cf. *Jean* 1, 4). « Moi, je suis la lumière du monde » (*Jean* 8, 12).

Annette Parent est née en 1922, à Trois-Pistoles. Après ses études chez les Ursulines de Rimouski, elle se consacre pendant six ans à l'enseignement au primaire. En 1946, elle entre au monastère Sainte-Claire de Rivière-du-Loup. Elle est responsable de la formation des novices, de 1958 à 1964, puis elle est nommée abbesse. Elle exercera cette responsabilité de 1964 à 1971 et de 1975 à 1981.

Sœur Annette Parent a publié quelques monographies, dont *Prier sainte Claire aujourd'hui* (1994). Elle écrit aussi pour des revues religieuses. Depuis 1996, elle est membre de l'Union des écrivaines et écrivains québécois. Elle fait maintenant partie du monastère des Clarisses de Sorel-Tracy.

La vie nouvelle apportée par Jésus vécue dans un monastère

Vivre dans un monastère, à l'enseigne de Claire d'Assise, m'apporte toujours un bonheur simple et profond. Voilà où j'en suis maintenant. Mais tout a commencé à tâtons et... à reculons.

C'était l'époque où les vocations à la vie religieuse abondaient. À la fin de leurs études, quelques-unes de mes compagnes avaient déjà opté pour ce mode de vie. Pour moi, ce n'était ni l'heure ni le moment d'un engagement, quel qu'il soit. Je voulais explorer d'autres avenues.

Après six ans d'enseignement, je me suis retrouvée devant le fait de devoir faire un choix de vie définitif. Je souhaitais un signe clair avant de prendre une nouvelle orientation. Mais ce signe ne se manifestait pas... Faire carrière dans l'enseignement, où je me sentais chez moi, me travaillait. Pourtant, je commençais à me trouver à l'étroit entre les quatre murs de ma classe. J'appartenais à un milieu croyant et la prière avait sa place dans ma vie. Mais les mots pour prier ne venaient pas. Je vivais dans l'attente d'un signe toujours absent.

La réponse du Seigneur est venue, mais non pas d'une parole entendue. J'ai plutôt vécu une forte expérience intérieure sur la brièveté de notre existence terrestre. Depuis, cette expérience me suit et m'enseigne le prix de l'instant présent et la vigilance afin d'écarter ce qui pourrait me distraire de l'essentiel. Puisque la vie est si courte : quatre-vingts ans, nous disent les psaumes — en admettant que cette limite est repoussée davantage de nos jours — je me dois de la vivre en plénitude. Finies donc les tergiversations! Il ne m'est même pas venu à l'idée que ma liberté, si chère, pouvait du même coup m'échapper. J'ignorais alors jusqu'à quel point mon entrée dans une nouvelle voie pouvait me donner accès à la vraie libération apportée par Jésus.

Par la suite, il m'a été donné de comprendre que le Christ, s'il veut pénétrer plus profondément dans une vie, sait prendre les moyens de son choix, en accord avec son plan d'amour pour chaque personne. Il est lui-même le « chemin », la « vérité » et la « vie ». Je suis donc entrée dans un monastère de Clarisses.

Héritière de la foi chrétienne, je me reconnaissais déjà comme disciple de Jésus. Sur le nouveau parcours où je m'engageais, j'ai compris peu à peu que je devais lui laisser tracer mon itinéraire. J'avais pour guide Claire d'Assise que je venais de croiser « au carrefour d'un appel ». Après une certaine expérience d'intégration dans sa famille spirituelle, j'ai traduit en mots ce qui habitait alors mon cœur et mon esprit.

> Au carrefour d'un appel
> Tu étais là, Claire d'Assise
> Présence cachée
> Perdue dans la lumière.
>
> Je t'ai entrevue
> Puis j'ai fermé les yeux
> Pour mieux te voir...
>
> J'ai foré jusqu'au plus creux
> La profondeur de ton silence
> Jusqu'en ton cœur,
> Habitacle silencieux de la Parole.
>
> J'ai cherché dans ton regard
> Le secret de ta vie.
> Claire aux mains vides,
> Claire aux pieds nus,
> Ton trésor, où donc est-il?

Ta réponse est venue,
Sans mot, sans geste.
Tu n'avais pour te dire
Que la geste de ta vie.

J'ai posé mon regard
Sur celui que tu regardais.
Il m'a donné pour seul héritage
Son visage à contempler.

Ce trésor, je l'ai reçu
Comme la perle cachée
Je n'avais qu'à tout vendre
Pour le posséder.

J'avais trouvé mon chemin
En toi, Claire,
Genèse de ce premier matin.
Reste aujourd'hui encore
La porte de mes « commencements ».

Cette porte allait demeurer ouverte à la nouveauté de chaque jour et à la surprise de l'instant présent. Avec Claire et François, je vis la grâce d'un nouveau commencement. À la fin de son existence, François disait à ses frères : « Commençons à servir le Seigneur, car nous n'avons pas fait grand-chose jusqu'ici. »

J'étais donc engagée sur un chemin de conversion perpétuelle. Au fil des jours, les étapes allaient se dessiner avec les moyens offerts pour l'actualiser. Une question se posait pour moi : comment garder inaltérée la grâce de mon premier commencement? La page blanche était toujours là, chaque matin, et l'Esprit de Jésus présent pour y apposer l'empreinte de son Verbe. Je devais me laisser éclairer par lui, sans prendre trop d'espace pour ma propre écriture.

Au cours de mon expérience, j'aurais pu me demander : est-il encore possible de me retrouver avec la Claire du Moyen Âge alors que je vis dans une société postmoderne? La réponse était déjà inscrite dans la *Forme de Vie* qu'elle propose à ses sœurs de tous les temps et de tous les lieux : rien d'autre que l'Évangile, mais tout l'Évangile, vécu dans sa radicalité. Il n'a pas d'âge. Il est une parole vivante et efficace, lumière pour notre route et puissance d'évangélisation des profondeurs de l'être. Claire se situe au-delà de toute durée.

Par ailleurs, il est possible de découvrir des points de ressemblance entre le temps de Claire et le nôtre. Claire a connu la fin d'un siècle (1194-1253) et nous, le passage dans un nouveau millénaire. Elle a vécu à une époque de transition et de grandes mutations. Comme elle, je discerne un appel à la nouveauté pour que jaillisse la vie. Claire a été une femme de son temps. Elle vivait l'Évangile au cœur de l'histoire, avec ses richesses, ses défis et, parfois, ses dérapages. Pour moi, il s'agissait d'une belle occasion de donner, comme elle, une assise solide à mon choix de vie. Trop souvent, même à son époque, le meilleur côtoyait le pire. Elle a vécu l'insécurité, la violence et les rivalités entre les cités. Elle a connu le règne de l'argent, les déséquilibres économiques, les nouvelles pauvretés. Consciente de la valeur limitée et transitoire des biens matériels, Claire a recréé sans cesse son espace intérieur. Elle a tendu ses voiles au souffle de l'Esprit pour que sa vie en soit transfigurée. Pour ma part, je suis invitée à une plus grande ouverture à l'absolu proposé par Jésus.

Claire souffre de l'écart entre l'aristocratie d'Assise et les autres corps sociaux. Dans sa communauté, elle préconise un style de relations d'où sont abolies les catégories sociales. Pour elle, la vraie fraternité consiste en l'accueil de chaque personne comme un don du Seigneur. Elle considère les qualités personnelles de chacune comme une richesse pour l'ensemble. C'est le Christ qui donne de s'aimer en vérité, Claire le sait. Ce don est à recevoir et doit s'exprimer ensuite de façon concrète. Aussi demande-t-elle à ses sœurs de manifester à l'extérieur l'amour qu'elles portent en elles. C'est notre petit code de vie fraternelle.

Comme nous, aujourd'hui, Claire a été témoin d'une prise de conscience des laïcs en ce qui a trait à leur engagement baptismal. Elle a quelque chose à dire à notre époque et particulièrement aux femmes qui y vivent. Le troisième millénaire reconnaît peu à peu le vrai visage de la femme et lui donne sa place. L'amour du Christ Jésus a épanoui chez Claire les harmoniques et les richesses intérieures de son être. Elle a appris le don de soi à travers les menus gestes de la vie quotidienne. Elle était bien dans sa peau de femme. Je retiens ici les mots de sa dernière prière : « Béni sois-tu, Seigneur, de m'avoir créée. » J'aimerais la répéter comme une litanie d'action de grâce au créateur de mon être et de ma vie.

Témoin de grands réveils spirituels, Claire en a épousé les plus hautes aspirations. Le même défi nous attend, de nos jours, dans un monde où la vie mystique côtoie parfois ce qui lui est le plus étranger. Je suis toujours fascinée par cette Claire si présente à la réalité de la vie et tournée vers une croissance humaine et spirituelle en devenir.

Une vie confinée dans un cloître a-t-elle encore un sens aujourd'hui? Le cloître, je le vois comme un lieu de rencontre personnelle avec le Christ Jésus et avec son peuple. Ma contemplation se nourrit des grandes interrogations contemporaines. Ma prière s'enracine dans la culture et l'histoire de l'humanité.

Pour qui la regarde de l'extérieur, cette forme de retrait laisse-t-elle transparaître son véritable sens? Je trouve ce sens ultime en Jésus. Il s'est retiré à l'écart du monde. Il s'est fait l'orant de la montagne. Plus que jamais, cette mise à l'écart a sa raison d'être dans nos sociétés où errent dans les rues des itinérants. J'ajoute à leur nombre tous les nomades qui circulent dans les airs et sur la terre. Un jeune franciscain en études supérieures à l'étranger a obtenu une bourse de mobilité internationale de l'État français! Comment ne pas penser également aux personnes qui roulent parfois assez longtemps pour se rendre à leur travail et à celles qui sont constamment sur la route? Le retrait contemplatif devient alors un axe d'équilibre et un lieu d'engagement personnel pour porter devant le Seigneur son peuple de nomades. À l'inverse, il me garde en communion particulière dans la prière avec ceux et celles dont la mobilité physique est gravement affectée.

Un monastère n'est pas le lieu exclusif de la contemplation. Avec le réveil de la foi chrétienne, des personnes d'âges divers, et déjà engagées dans la vie séculière, en arrivent à se tailler des enclaves de silence et de contemplation dans le tissu trop serré de leur horaire quotidien.

Dans un monastère, le silence règne. Nous le savons bien, le jour où nous parlerions trop, nous ne dirions plus rien. Le silence donne à la parole sa fécondité. Il se situe bien au-delà du silence verbal. Il est un appel à l'intériorité. L'indicible réel nous y convie. Il nous habite et répond à notre besoin d'un horizon infini. Il est un don de Dieu à recevoir. J'ai trouvé comme prière de secours cette supplique jaillie d'un cœur contemplatif qui en avait sans doute exploré les profondeurs abyssales :

> Prends-moi, Seigneur, dans la richesse divine de ton silence, plénitude capable de tout combler en mon âme. Fais taire en moi ce qui n'est pas de toi, ce qui n'est pas ta présence toute pure, toute solitaire, toute paisible. Fais descendre ton silence jusqu'au fond de mon être et fais remonter ce silence vers toi, en hommage d'amour.

Quelle plongée dans la prière contemplative où les mots n'ont plus leur place! Mais la question demeure : contempler, mais comment? Au début de ma vie religieuse, aucune méthode de prière ne m'a été proposée. Jour après jour, j'ai découvert que la tradition franciscaine donne sa propre couleur à la prière contemplative. Il n'est pas question de prier à partir de concepts, fussent-ils religieux, mais de se situer devant le Vivant, le Christ Jésus. Il importe de regarder son visage avec une attention soutenue du cœur et une vision intérieure simplifiée. De plus en plus, l'Esprit en devient l'acteur principal. Une contemplation centrée sur la personne du Christ, afin qu'il nous transforme. Une contemplation qui n'est pas une fuite du monde, mais une nouvelle manière de le regarder. Après avoir longuement contemplé le visage du Christ Jésus dans un monde de plus en plus médiatisé, j'en arrive à pressentir en toute personne sa face lumineuse. Celle-ci demeure parfois encore cachée. Mais quand elle m'est dévoilée, je peux y lire une invitation à la clarté d'un regard. Il va bien au-delà de l'instant présent, de l'horizon et des simples apparences.

Femme de regard, Claire a contemplé le Père sous les traits de Jésus. Elle l'a écouté dans son Évangile, comme en témoigne sa vie. Dieu se donne à voir dans le visage de son Fils et dans sa parole. Il se révèle en audio-visuel. « Je ne te connaissais que par ouï-dire, maintenant mes yeux t'ont vu » (*Job* 42, 5). Cette vision face à face devient une promesse d'avenir : « Je ne leur cacherai plus mon visage, puisque j'aurai répandu mon Esprit sur la maison d'Israël » (*Ézéchiel* 39, 29). Notre époque « image et son » en est une aussi, apparemment contradictoire, de recherche intérieure. L'image du Christ est appelée à éclater en tout chrétien et chrétienne. Le regard de Jésus traverse le nôtre. « Contemple-le et deviens-lui semblable », nous dit Claire. Elle utilise le symbole du miroir « à l'envers ». Il réfléchit non pas le visage de celui qui le regarde, mais pour Claire, il réfléchit le visage qu'elle regarde, le visage de Jésus Christ.

L'usage profane du miroir était connu au temps de Claire. Il y avait des petits miroirs à main, portés à la ceinture et considérés comme indispensables à la toilette des dames. Claire utilise volontiers ce symbole dans sa dimension spirituelle. Celui-ci est de toutes les cultures et de tous les temps. Ce symbolisme est passé très tôt dans la pensée chrétienne et, au temps de Claire, il prenait une grande place. De nos jours, il semble vouloir refaire surface. Deux auteurs québécois nous présentaient récemment des ouvrages sous le signe du miroir. Pour parler des rites dans la vie quotidienne, André Beauchamp intitule son livre : *Dans le miroir du monde*. Le bibliste Marc Girard présente *Les psaumes, miroir de la vie des pauvres*.

La vie de foi de Claire est tout entière aimantée par la face du Christ Jésus. Pour elle, le voir permet de communier à sa vie, en totalité et du plus profond de son être. Elle épouse ainsi son regard d'amour sur le monde et le cosmos. Un verset du psaume 17 a inspiré sa prière : « Au réveil, je me rassasierai de ton visage » (v. 15). Imprégné de ce regard, le visage humain peut devenir une épiphanie de celui qu'il contemple. Jésus reflète ainsi la beauté de l'image que nous portons en nous.

J'ai à regarder Jésus, mais aussi à me laisser regarder par lui. Son visage de lumière respire la paix. Un contemporain, Dietrich Bonhoeffer, parle ainsi des retours à Dieu :

Je regarde Dieu qui me regarde. Regarder Dieu en la personne de Jésus est bon; mais c'est tellement plus beau de le regarder en train de me regarder. Ce n'est pas moi seulement qui essaie de lui dire quelque chose. Je le contemple et il me regarde.

Parlant des défis du nouveau millénaire, Albert Jacquard affirme : « Modeler son regard sur le regard du Christ est sans doute la valeur la plus sûre pour les siècles à venir. » Il est le miroir sans tache, l'éclat de la lumière infinie.

Devant l'image, c'est l'œil qui écoute. Le silence qui la baigne lui permet de livrer son message. Elle peut, comme une icône, devenir révélation. Le regard de foi, purifié par la contemplation du mystère du Christ, peut, dans les images qui se présentent quotidiennement à son regard, les traverser « comme s'il voyait l'invisible ». Tout devient alors une contemplation à même ce qui est, dans un mouvement de conversion permanente à l'Évangile, dans une aventure de foi qui se dépouille au fur et à mesure qu'elle s'incarne dans le quotidien. Cette contemplation nourrie d'Évangile baigne la vie tout entière. Elle garde en communion avec la création, avec la grande famille humaine. « Dieu, mon Dieu, je te cherche dès l'aube, mon âme te désire la nuit et mon esprit te cherche au dedans de moi. » Ces paroles du psaume doivent devenir chair et sang dans ma vie. Claire les traduit ainsi dans cette recommandation faite à ses sœurs : « Que le Seigneur soit toujours avec vous et vous, soyez toujours et partout avec lui. » C'est le seul horaire de prière qu'elle nous a laissé et que j'ai à faire mien : toujours et partout.

L'image de Jésus, telle que je l'expérimente en cette étape de ma vie, est celle du Christ total. Son visage habite mon cœur et ma mémoire quand je prie ce verset de psaume 119 : « Pour ton serviteur (pour ta servante) que ton visage s'illumine » (v. 135). Il nous rassemble en son corps glorieux. Nous sommes ce corps total en formation. Le Seigneur nous appelle afin qu'il s'accomplisse en plénitude. Il grandit et s'achève en nous. Pour le garder vivant dans mon souvenir, je me le représente par une sainte Claire debout, le regard tendu vers le visage du Christ. Sa main droite est levée vers lui et sa gauche porte cet écriteau : « Ce miroir, regarde-le chaque jour et mire sans cesse en lui ta face. » Le Christ est entouré de son peuple en devenir et issu de toutes les races. Un visage à contempler, mais aussi bien d'autres à porter en soi. J'ai complété l'ensemble par ce texte :

> Le corps glorieux du Christ
> inachevé et incomplet
> ne cesse de s'engendrer
> dans le mystère de nos temps humains
> et le temps de l'Esprit
> sans limites spatiales
> et sans frontières humaines
> parce que le salut est à l'œuvre
> pour tous et en tout lieu.

Le Christ Jésus est le seul capable de donner à ma vie son sens plénier. Grâce à lui, je deviens peu à peu le signe d'un monde nouveau jusqu'à son retour. De lui, je peux dire : « Je sais en qui j'ai mis ma foi » (*2 Timothée* 1, 12). Cette quête d'un sens spirituel à donner à notre vie nous habite chacun et chacune. Elle est inscrite au fond de notre être et se manifeste par un désir de transcendance, de plénitude et de joie parfaite.

Un ferment de vie nouvelle a été instillé dans les veines de l'humanité, il y a plus de deux millénaires, par l'incarnation de Jésus. Il s'agit d'un signe d'espérance pour tous ceux et celles qui ont foi en lui. Un signe à raviver à la lumière et dans la dynamique de notre foi chrétienne. Le Dieu de Jésus Christ est le Dieu de la vie. Il peut nous rendre vulnérables à sa plénitude de sens. Il peut nous régénérer dans un contact vital avec lui, même si nous avons perdu sa trace. La porte d'entrée de notre recherche pour le rejoindre est propre à chaque personne.

Comment dans mon cloître puis-je être une éveilleuse de sens? Sans doute, par l'approfondissement du sens humain et spirituel de ma propre vie. Le reste est à recevoir de celui que je contemple dans la foi. Toutes et tous, il nous est arrivé un jour ou l'autre de voir l'un de ces visages illuminés de l'intérieur parce que porteurs de la joie et du mystère christique. La contagion s'opère alors par une sorte d'osmose spirituelle.

Sur le parcours de ma vie de clarisse, j'ai eu à vivre la pauvreté selon la spiritualité franciscaine. Celle-ci est au ras du sol, c'est pourquoi j'aime l'appeler la pauvreté « brune ». Elle se caractérise par la désappropriation des biens matériels et la simplicité de la vie. Cette forme de pauvreté a pour compagne l'humilité. Claire ne demande pas à ses sœurs de dormir à la belle étoile. Dans sa *Forme de vie*, elle parle volontiers des réalités courantes : maison, nourriture, vêtements, santé. Les biens culturels et matériels sont à recevoir et ne doivent pas être considérés comme notre propriété. Claire a demandé aux autorités ecclésiastiques de son époque le privilège de n'en avoir aucun. Étrange privilège! Il nous recentre sur les vraies valeurs de la vie. Il nous permet de nous attacher aux pas de celui qui s'est fait pauvre pour nous. Pour Claire, Jésus personnifie une pauvreté qui se situe au creux de l'être. C'est là l'essence même de la pauvreté « brune », la pauvreté intérieure la plus radicale que l'on puisse offrir à Dieu comme un vide que seul l'infini peut combler. Cette pauvreté, je me dois d'en épouser la couleur et d'en creuser les racines.

Cheminer avec le Christ est toujours une aventure. Il m'est donné de la partager avec des compagnes qui ont répondu au même appel que moi, dans la richesse de la diversité et de la complémentarité. Au quotidien, le travail a sa place. La détente et la fête en ont également une, sous le signe de la communion, en référence à Jésus. Cette communion se situe à deux niveaux : vertical et horizontal. Le premier, avec le Seigneur, baigne toute mon existence. Le second, avec les sœurs proches et lointaines, dans un ordre à la fois intercontinental et multiculturel, et avec toute l'humanité où bat le cœur universel de Claire. Je suis à la fois membre d'une communauté et citoyenne du monde. Toute distance est alors franchie par le cœur et la prière.

Ma mission première, comme religieuse cloîtrée, est une mission ecclésiale donc universelle. Je dois communier avec toutes les forces priantes pour maintenir avec elles l'humanité en état d'offrande et de louange. C'est ainsi que la prière de l'humanité devient ininterrompue et son intercession englobe les « travaux » et les « jours » pour contribuer au bien de tous et de toutes.

Ma prière quotidienne est rythmée par la liturgie des Heures. Elle me permet de prier avec les mots de Dieu : comme des *flashes* sur la route de ceux et celles qui font de la Parole la lampe de leurs pas. Elle me garde en lien avec Jésus qui a « donné un sens à nos activités » et sanctifié « nos temps humains ». Au moment de la prière, je reprends à mon compte le cri de tous les pauvres, clamés dans les psaumes et dans les médias. Lors de la dernière prière avant le repos de la nuit, ma conscience universelle s'éveille quand une hymne la projette sur l'autre hémisphère : « En toi Seigneur nos vies reposent et prennent force dans la nuit. » Et vient ce rappel : « Déjà levé sur d'autres terres, le jour éveille la cité. »

Quand je prie les Heures, un verset du psaume 90 vient me répéter chaque fois la mesure de mes jours : « quatre-vingts ans pour les plus vigoureux » (v. 10). Ce verset devient l'écho de ma voix dans le Christ. Le psaume 139, quant à lui, me donne à entendre la voix du Christ en moi et à voir l'étonnante image qu'il a de nous en son cœur. Il s'émerveille de chacun et chacune. Il nous voyait déjà, alors que nous étions encore à l'état d'embryon. « J'étais encore inachevé, tu me voyais; sur ton livre, tous mes jours étaient inscrits » (v. 16).

Si l'on me demandait : « As-tu vu le Christ au cœur du monde? », je répondrais oui! Je l'ai vu sur l'écran de ma vie, dans la voix étranglée d'une fillette qui me confiait sa souffrance devant la perspective de la séparation de ses parents. Je l'ai vu dans les bras de Jeannot qui enlaçait un sidéen — véritable loque humaine — pour le déposer sur un lit d'hôpital. Pour elle, c'était la « présence réelle » du Christ Jésus. Je l'ai vu dans le cœur de Louise, une habituée de la prostitution, reconnue séropositive. Consciente de la gravité de son état, elle a maintenant recours à la prière. Elle reprend avec moi, mot par mot, celle que je lui suggère.

Le Christ Jésus peut être reconnu par la médiation de réalités visibles. Il se révèle aussi à travers des sources et des voies cachées ou secrètes. Le plus souvent, leurs auteurs autant que leurs bénéficiaires ignorent tout de leur existence. Il s'agit de réalités perceptibles sur le seul écran de la foi.

Je souhaite que ma contemplation du Christ Jésus se renouvelle sans cesse parce que son mystère est inépuisable. Quand je pense aux personnes qui ont été et à celles qui seront pour moi un canal de son Esprit et de son Évangile en acte, je me tourne alors vers lui dans la prière :

Tiens-moi en éveil sur l'essentiel : ta vie au-dedans de moi. Que la contemplation s'enracine dans mon cœur afin qu'il devienne un lieu où l'Esprit ne cesse de prier.

Aide-moi à prendre de plus en plus conscience de la fécondité universelle de la prière : Claire ne quittait pas sa retraite et pourtant elle remplissait l'Univers.

En réponse aux appels de l'Esprit, accorde à ton peuple de créer une expression enrichie et rayonnante du témoignage contemplatif dans l'Église d'aujourd'hui.

Fais germer dans tous les cœurs des attentes inspirées par toi. Que notre demain, en voie de réalisation, nous garde dans la confiance, car tout est possible par la puissance de l'Esprit.

Raymond Beaugrand-Champagne est né en 1926 et il a été moine à l'abbaye Saint-Benoît-du-Lac, pendant deux ans. Titulaire d'une licence en philosophie et d'un baccalauréat en bibliothéconomie, il a occupé la charge de bibliothécaire au Grand séminaire de Montréal, durant cinq ans. En 1956, il entre à Radio-Canada comme chef de comités de lecture au service des textes. En 1960, il devient réalisateur au service des émissions religieuses où il produit de nombreuses séries dont la très populaire « Rencontres ».

Raymond Beaugrand-Champagne a participé à la fondation du Rassemblement pour l'indépendance nationale (RIN), puis de l'association « Emmanuel, l'Amour qui sauve » pour l'adoption d'enfants handicapés jugés inadoptables. Une fois retraité, il s'est consacré à la fondation de Radio Ville-Marie où il a animé 1 200 rencontres spirituelles. Conférencier depuis trente ans, il a prêché dans de nombreuses églises et animé des retraites paroissiales. On peut trouver son site web à l'adresse suivante : www.dieu-parmi-nous.com

Dieu est présent

On m'a demandé avec insistance de témoigner de ce qu'il me semble que Dieu a bien voulu m'enseigner au fil des ans par l'intermédiaire de ma famille et des événements que j'ai eu la chance ou le bonheur de vivre. C'est sans doute en raison de mon âge avancé qu'on m'a aussi suggéré de revenir sur des choses que j'aurais peut-être préféré taire. J'ai tout de même osé accepter, pour jeter un nouvel éclairage sur la période de mon enfance et de ma jeunesse, soit les années 30 et 40.

Cette époque, d'avant la révolution sexuelle, a transformé l'Occident chrétien. Marilyn Monroe et Brigitte Bardot, Hugh Heffner et son *Playboy*, Elvis Presley et les Beatles, la pilule et le condom n'avaient pas encore ouvert les écluses pour faire croire au monde que le sexe devait être déchaîné pour être libre. Les fameux trois maîtres du soupçon que sont Marx, Nietzche et Freud pouvaient enfin avoir raison d'à peu près toutes les valeurs.

En 1930, l'éveil spirituel d'un enfant était presque naturel. Nous n'y échappions pas. Nous vivions dans un entourage parfois étouffant, mais qui avait malgré tout de grandes qualités. En effet, presque tout nous incitait à prendre conscience de l'importance du monde invisible. Nous vivions facilement par-delà le miroir plusieurs fois par jour, dans un va-et-vient perpétuel d'un monde à l'autre, du visible à l'invisible. La prière quotidienne et bien d'autres occasions nous menaient de l'autre côté des apparences. Pour nous, les deux mondes étaient étroitement imbriqués.

Dès la fin des années 20, soit à l'âge de trois ans, je me souviens de ma joie de prier. Ma mère m'avait appris par cœur des prières du soir. Elles sont restées si bien gravées dans ma mémoire que jamais je ne les oublierai. Voici celle que je préférais : « Seigneur Jésus, je vous donne mon cœur; prenez-le s'il vous plaît, afin que jamais aucune créature ne le puisse posséder que vous seul, mon bon Jésus. » Or, je suis souvent surpris le soir, plus de soixante-dix ans plus tard, que cette prière jaillisse encore en moi comme une source d'eau vive. Sa naïveté m'apparaît toujours mêlée d'une grande splendeur, à la façon de certains poèmes de sainte Thérèse de Lisieux que nous redécouvrons après cent ans de mépris. Nous les lisons aujourd'hui avec de nouveaux yeux. Un jeune carme les chante même avec beaucoup d'intelligence sur des mélodies parfois audacieuses.

Sans doute est-ce la pureté du sentiment spirituel, la simplicité du murmure amoureux et, aussi, la ferveur que cette prière d'enfant suppose qui me touchent aujourd'hui. J'espère toutefois que ma mère a su me dire que notre cœur peut à la fois appartenir à Dieu, à quelqu'un d'autre et même au monde entier, mais à une condition : que Dieu soit toujours le premier... Cette prière n'enlevait rien aux engagements qui se présentaient à nous dès notre tendre enfance. Ma mère m'emmenait visiter les plus pauvres, surtout pour porter aux enfants des vêtements neufs pour leur première communion. Nous faisions des dons de menue monnaie destinés aux écoles françaises des provinces de l'Ouest du Canada ou de l'Ontario. Nous lisions aussi des vies de saints illustrées : Vincent de Paul, Don Bosco et celles, très brèves, des courageux missionnaires, dans les revues religieuses auxquelles nous étions abonnés. Cela suscitait en nous le désir de les imiter.

L'éveil spirituel a aussi fait son chemin en moi grâce à l'observation de la nature. J'en suis d'ailleurs très reconnaissant à mes grands frères. Je me souviens, en particulier, du plaisir d'aller tout jeune à la recherche de ce monde inconnu qui fourmillait sous de grosses pierres que déplaçait mon frère Jules, le plus costaud des trois. Rien comme un nid de fourmis pour m'ouvrir à ce monde fascinant. Rien non plus comme un nid de grives au printemps. On y voyait naître les oisillons. Mais il y avait surtout, le soir venu, le ciel immense que mes frères me montraient. Ils prenaient plaisir à me décrire cette immense galaxie dans laquelle Dieu nous a déposés. Je me souviens comme si c'était hier de la découverte de la Voie lactée. J'étais bien jeune, et j'étais bouleversé devant cette grande bande blanche immense presqu'à l'infini où scintillaient des millions et des millions d'étoiles. Mes frères me racontaient que Dieu était celui qui, il y a des milliards d'années, selon les dires d'un prêtre astronome belge, le chanoine Georges Lemaître, avait fait jaillir cet Univers d'un peu de matière qu'il venait de créer. C'était le Big Bang. Une fantastique explosion avait eu lieu, il y a plus de dix milliards d'années, pour former l'Univers. Cela me terrifiait et m'émerveillait à la fois. Dieu devait avoir un pouvoir pour ainsi dire sans limites puisqu'il y avait, m'assurait-on, de nombreuses autres galaxies.

Ce sont là, au creux de mon enfance, mes plus grands moments d'émerveillement. Découvrir la grandeur de Dieu, Dieu, Dieu. Une sorte d'extase s'est emparée de mon âme… Ah! comme j'aimais contempler ce ciel étoilé et, surtout, cette grande bande blanche de la Voie lactée. Plus je contemplais, couché sur le dos, cet Univers répandu dans le noir, plus j'éprouvais un étrange vertige. Il m'arrivait de craindre que la terre ne cesse de me retenir. Je me voyais alors en chute libre, disparaissant dans ces espaces infinis. Mais le plus souvent, j'aimais y propulser mon admiration pour Celui qui avait créé cette splendeur. C'était en fait des actes d'adoration où se mêlait une certaine crainte de Dieu, crainte qui, plus tard, fera place à l'amour, un amour bien faible, mais un amour de Dieu tout de même.

Nourri ainsi d'une religion qui me semblait bien belle et même enthousiasmante, j'ai été heureux qu'on me demande de servir la messe tôt le matin, avant de me rendre à l'école. Je me vêtais d'une petite soutane noire et d'un surplis bien blanc. Les dimanches et jours de fête, une belle soutane rouge me rendait plus joyeux. J'aimais cela. Je pensais que je deviendrais prêtre un jour. Je me prenais au sérieux en dépit de mes huit ou neuf ans.

J'étais fier — sans doute un peu trop — de me promener dans la rue en transportant un gros missel brun à tranches dorées qu'un frère de Saint-Gabriel m'avait donné. Presque tout le monde portait un missel à tranches rouges ou dorées en se rendant à l'église, le dimanche. Mais « mon » missel était le plus beau et le plus rare. Ah! l'orgueil spirituel qui nous guette, même dans les missels! Je me plaisais à lire dans mon fameux missel les traductions des textes latins évidemment incompréhensibles pour moi, à cet âge. Les dimanches et jours de fêtes, j'aimais bien lire de nouveaux textes. Car les autres jours de la semaine, c'était les textes de la messe des morts qui revenaient sans cesse. Si bien que, grâce à cela, la mort m'est rapidement apparue comme la chose la plus naturelle du monde.

Il m'arrivait même d'éprouver une douce sensation lors des visites aux morts du voisinage, exposés chez eux, dans leur salon. Le crêpe noir suspendu à la porte de leur maison était pour moi une sorte d'invitation à aller prier dans un décor souvent très beau. Des tributs floraux répandaient un riche mélange de parfums. Pour moi, ces odeurs et ces couleurs évoquaient le ciel. Je n'éprouvais aucune peur, contrairement à mes jeunes amis et même à certains adultes. Très tôt la mort m'est vraiment apparue comme inexistante. Il n'y avait que la vie, j'en étais sûr! La vie se continuait avec de bonnes chances de nous conduire au purgatoire, lieu d'attente et d'espérance d'aller au ciel, un jour, si l'on n'avait pas réussi à s'y rendre directement. Ma mère et mes frères m'avaient heureusement expliqué que le fameux feu du purgatoire n'existait pas. On s'y purifiait. C'est tout! Quant à l'enfer...

La messe des morts qu'on appelait « la messe quotidienne » était donc célébrée pour ainsi dire tous les jours. On l'appelait aussi « messe de *Requiem* », du premier mot du chant d'entrée qui veut dire « repos ». Ce chant était très beau. Je lisais dans mon missel : « Donnez-leur, Seigneur, le repos éternel et que votre lumière luise à jamais sur eux. » Tous les jours, c'était donc la lumière malgré les ornements noirs que portait le prêtre, sans compter le chantre qui n'avait guère de respect pour les chants liturgiques en grégorien. C'était pour lui une routine. Mais je n'y pensais guère. Puis il y avait la courte lecture d'un passage de l'*Apocalypse* : « Et j'entendis une voix qui, du ciel, disait : Écris. Heureux dès à présent ceux qui sont morts dans le Seigneur!... » (*Apocalypse* 14, 13). Après le chant plutôt terrible du *Dies irae*, on entendait l'un des plus beaux passages de l'évangile de Jean sur l'eucharistie : « Celui qui mange ma chair et boit mon sang a la vie éternelle... » (*Jean* 6, 54). Pourquoi donc un enfant qui sait lire aurait-il peur de telles messes? Je communiais tous les jours, je possédais donc la vie éternelle. Je m'en allais au ciel... J'aimais recevoir Jésus vivant et je rêvais de l'aimer toujours. Nous avions la foi, quoi! Personne ne protestait contre cette façon de célébrer, en répétant constamment les mêmes prières tous les jours. Le monde de l'invisible avait plus d'importance, heureusement, que les apparences. La présence réelle de Jésus dans l'hostie consacrée était pour nous une réalité profonde. Nous y trouvions notre plus grande consolation. Presque tout le monde demeurait à genoux après avoir communié et faisait « son action de grâce ». Cette action de grâce était surtout composée d'oraisons de grands maîtres spirituels, tels saint Thomas d'Aquin et saint Bonaventure. Nous les lisions dans nos missels.

Ce n'était pas une chose si extraordinaire pour moi que de servir la messe tous les jours, quand j'étais élève à l'école Lajoie d'Outremont. Ma mère et mes frères allaient aussi à la messe à l'église Sainte-Madeleine, chaque jour, même s'il faisait mauvais ou très très froid. Mon frère Louis, le plus âgé, s'est gelé gravement les oreilles un 10 février par 40° sous zéro. Il est devenu alors pour moi une sorte de héros, mon modèle. Je l'admirais. Il avait toutes les qualités et, à mon avis, cela lui venait de sa fréquentation assidue de l'eucharistie. De plus, il était brillant au collège Brébeuf, premier de classe, sportif. Il me semblait exemplaire en tout, comme mes deux autres frères d'ailleurs, Jules et Guy. J'avais le goût de les imiter, mais je n'y parvenais pas. Je n'y suis jamais parvenu.

À l'époque, le collège Brébeuf était tenu par les Jésuites. Je m'y suis senti chez moi très rapidement, même si j'étais externe. J'avais douze ans. Mon frère Guy m'avait déjà enseigné entre autres choses l'alphabet grec. J'avais donc hâte de mettre à profit mes connaissances dans plus d'un domaine. Je recevais, en effet, d'autres cours privés à la maison. J'aimais particulièrement approfondir mes raisons d'être chrétien et catholique et, plus tard, étudier la littérature française et l'histoire. J'ai donc appris avec plaisir à creuser et à défendre ma foi, grâce à des cours d'apologétique. Je suis persuadé que ces cours m'ont beaucoup apporté à un âge où déjà le doute m'assaillait. Il était pour moi normal de douter.

Je trouvais notamment difficile de croire au péché originel commis quelques milliers d'années auparavant, dans un jardin, le paradis terrestre, où régnait la paix entre tous les animaux. En même temps, à la maison, mon frère Jules m'enseignait que les dinosaures et les brontosaures s'étaient acharnés les uns contre les autres bien avant l'apparition des êtres humains. Comment d'ailleurs pouvais-je croire à cette fameuse faute de nos prétendus premiers parents qui auraient perdu la jouissance de dons spéciaux dits « préternaturels » : la science parfaite, l'absence de concupiscence, l'exemption des maladies et l'immortalité? Il fallait donc croire que Dieu les avait chassés du paradis terrestre et condamnés au malheur, ainsi que tous leurs descendants, à cause de cette « tache originelle ». Nous naissions tous avec cette affreuse tache qui ne pouvait être effacée que par le baptême. Cette idée me révoltait. Ainsi, Dieu aurait agi comme certains professeurs impatients qui punissaient tous leurs élèves pour la faute d'un seul… Je n'y croyais tout simplement pas. Heureusement, on m'a aidé à comprendre que ce récit visait à expliquer l'introduction du mal moral dans le monde. Ce mal, ce péché, ne peut exister dans l'Univers sans la conscience humaine. Or, ce qu'il faut bien comprendre, c'est que Adam et Ève représentent tous les hommes et toutes les femmes qui sont inévitablement pécheurs, ayant été créés libres pour pouvoir aimer. Et tous ont absolument besoin de Dieu pour solutionner leurs problèmes, pour être arrachés à leurs péchés et transformés. C'était expliqué simplement mais clairement. C'est Dieu qui nous sauve de nous-mêmes. Et on me faisait comprendre que le Christ Jésus était le grand guérisseur des âmes.

Nous avions d'autre part un professeur qui nous répétait sur un ton un peu ridicule et avec une insistance qui nous faisait rire : « Qu'as-tu que tu n'aies reçu? » (*1 Corinthiens* 4, 7). Cette question de saint Paul, si souvent répétée, a fini par me rentrer dans la tête. Elle est devenue pour moi une vérité d'une telle évidence que j'ai pris la décision de tout remettre à Dieu et de devenir, plus tard, moine contemplatif. J'y pensais depuis ma première visite au jeune monastère de Saint-Benoît-du-Lac, près de Magog, quelques années auparavant. Le professeur m'avait convaincu. Nous avions tout reçu et nous recevions tout chaque jour. Tout pouvait nous être arraché par une grave maladie, un accident ou même la folie. Combien illusoires étaient alors nos prétentions devant Dieu, nous qui étions en vérité des pauvres devant lui...

À quinze ans, l'amour de la prière en union avec Jésus Christ m'a semblé être la seule solution. Il fallait vraiment que j'y consacre toute ma vie. D'ailleurs, à cette époque, nous rêvions presque tous de donner notre vie. Or, pour moi, c'était la vie bénédictine qui me semblait le mieux remplir cet idéal de la prière en union avec Jésus Christ. Les rudiments que des moines m'avaient enseignés au monastère, durant mes quelques visites, me comblaient déjà au plus haut point. La liturgie était au cœur de toute leur vie : d'abord l'eucharistie, célébrée dans la splendeur, puis l'office, des matines jusqu'aux complies, récité ou chanté sept fois par jour, y compris la nuit. De l'extérieur, cette existence peut sembler bien inutile, insignifiante même. Mais je savais qu'elle renfermait pour moi la clef du bonheur. J'y trouverais le sens profond des réalités invisibles qui nous échappent dans le monde.

Il faut bien spécifier qu'en ce temps-là, presque tout était imprégné de la présence divine. Tout baignait dans le spirituel. Les vocations étaient très nombreuses. Trois confrères de classe sont entrés en même temps que moi à Saint-Benoît-du-Lac, en 1944, après la rhétorique. Deux y sont encore depuis près de soixante ans, Dom Yves Langlois et Dom Jean Flynn.

D'autre part, un livre, lu depuis des siècles et encore populaire à cette époque, *L'imitation de Jésus-Christ*, m'a profondément éclairé de ses lumières spirituelles. J'aimais en lire deux ou trois chapitres par jour et les méditer quelques minutes. L'auteur, Thomas a Kempis, un moine, a en effet su y développer, au XIVe siècle, ce qui me semblait être la pure vérité. Presque tous les chapitres se fondaient par osmose en mon âme. Rien ne me semblait plus authentique, sauf quelques passages qui me semblaient excessifs. Je ne me fatiguais pas de lire et relire certaines pages saisissantes. Cela a duré des années. Je me sentais devenir moine.

Pourtant, je sortais très souvent le soir pour aller presque gratuitement à l'opéra, à des ballets, à des concerts, à des pièces de théâtre, à des conférences ou, tout simplement, au parc Pratt converser avec des amis du collège. Ensuite, nous nous rendions tous ensemble au mois de Marie, à l'église irlandaise Saint Raphael, où nous chantions avec entrain le *Tantum ergo*!

Je suis donc finalement entré à Saint-Benoît-du-Lac trop tôt, à dix-huit ans et quelques jours, le 29 septembre 1944. J'abandonnais cent fois rien, si ce n'est le concerto d'Alban Berg que je craignais de ne plus pouvoir écouter dans un cloître. Cela semble idiot, mais c'était comme ça. La musique dodécaphonique risquait de ne pas être très prisée dans un cloître, en 1944. Et que dire de Schœnberg et Webern?

Je rêvais donc de tout donner à Dieu, non pas pour souffrir, mais pour être heureux avec lui et avec tous les moines du monastère, en chantant ses louanges, comme si nous étions déjà rendus chez lui. *L'imitation* m'a beaucoup influencé. Il faut admettre cependant que ce livre a maintenant quelque chose de suranné, malgré sa grande richesse de réflexions sur les futilités du monde et l'amour de Jésus Christ. Il ne peut être lu aujourd'hui qu'avec une certaine prudence et un bon sens critique.

Au monastère, mon bonheur était presque parfait. Les plus belles années de ma vie! Peut-être les seules vraiment belles. Comment ne pas être heureux à dix-huit et dix-neuf ans quand on vit avec Dieu à tout moment, quand on vit pour lui chaque instant de sa vie? C'est le comble de la joie ici-bas. Je vivais le paradis sur la terre. La cloche ne m'a donc jamais ennuyé. J'avais hâte d'y répondre et d'aller au chœur chanter les louanges de Dieu, Notre Père, intimement lié au Christ, son Fils éternel dans l'unité du Saint-Esprit. Rien ne me semblait pénible. Les conférences spirituelles du père prieur, Dom

Mercure, me livraient chaque jour la fine fleur du sens de notre existence au sein de la Trinité. Tout me semblait agréable, même les tâches les plus rudes et les fonctions les plus exigeantes.

J'étais le plus jeune, mais on ne me l'a jamais fait sentir, si ce n'est qu'on a cru bon de reporter pour moi le lever de 4 heures à 5 heures 30. Certains ont pensé que j'étais malade alors que j'étais en très bonne santé. Cela m'a valu un vote négatif, le jour où il a fallu juger de mon cas, avant que je ne prononce mes vœux temporaires. Ce fut la première grande épreuve de ma vie, le 11 septembre 1946. J'avais tout juste vingt ans.

J'ai dû quitter le monastère le matin même. Mes supérieurs étaient stupéfaits. Ils sont venus chez moi, deux mois plus tard, pour me proposer leur appui si je voulais entrer dans un autre monastère bénédictin. Ce que je me suis empressé d'accepter. Ils regrettaient ce qui s'était passé, mais les constitutions ne leur permettaient pas de revenir sur un tel vote. Ils avaient presque autant de chagrin que moi, un chagrin qui m'accompagnera pratiquement toute ma vie. Aujourd'hui, je comprends que tout a été pour le mieux, car Dieu, qui est tout amour, nous conduit et nous accompagne quand nous croyons qu'il nous abandonne. Ces paroles de sainte Thérèse d'Avila ont été ma consolation :

> Toi qui veux boire à la fontaine
> L'eau vive dont la source est Dieu,
> Quitte ta volonté humaine
> Et dis-lui pour toujours adieu.
> Dieu veut te faire une âme neuve
> Ainsi ne lui résiste pas.
> Accepte la croix et l'épreuve,
> En le remerciant tout bas.

Après la rédaction d'une thèse sur l'humanisme pour l'obtention d'une licence en philosophie, à l'Université de Montréal, je suis parti en octobre 1949 pour le monastère bénédictin de La Pierre-qui-Vire, en Bourgogne. Mais le froid glacial de ce monastère non chauffé me transperçait les os. J'ai dû chercher refuge dans l'un des monastères du sud de la France. Or, c'était l'hiver et aucun monastère français n'était chauffé à cette époque. On croyait sans doute plaire à Dieu en mourant jeune de tuberculose! Un bref essai, qui m'a quand même beaucoup plu, à la Grande-Chartreuse m'a convaincu que je n'étais pas appelé à me faire ermite! Mon rêve s'est donc éteint après sept mois de recherches en Europe. Alors, quoi faire? Pourquoi ne pas demander à Padre Pio, illustre stigmatisé de San Giovanni Rotondo? Mal m'en prit. Il m'a simplement conseillé de suivre les conseils de mon directeur de conscience.

La solution de rechange? Elle s'est présentée sous la forme d'une tentative désespérée de devenir prêtre séculier. J'avais été très édifié par de nombreux prêtres français. En septembre 1950, nous étions cent vingt-cinq nouveaux séminaristes, presque tous âgés de vingt ans, à entrer au Grand séminaire de Montréal. Peine perdue! Je suis donc devenu bibliothécaire laïc, un an plus tard, dans ce même Grand Séminaire, tout en obtenant un baccalauréat en bibliothéconomie. À cette époque, il y avait en tout trois cent vingt-cinq séminaristes qui portaient tous la soutane et une soixantaine de prêtres chargés de la direction et de l'enseignement. J'étais le seul laïc. Je vivais donc dans la solitude, tout près d'une bibliothèque de 55 000 volumes. Comme un chartreux, je mangeais seul dans ma chambre. J'y ai été très heureux jusqu'en 1956. Le contact avec les livres, surtout les parutions récentes de Congar, Chenu, de Lubac, Zundel, etc., et l'amitié de certains professeurs comme monsieur Jacques Ménard, p.s.s., et de quelques élèves remarquables comme Jacques Grand'Maison, Yvon Allard ou Marcel Brisebois, ont augmenté mon attachement au monde de l'invisible auquel ces hommes consacraient leur vie.

Pendant quelques années ensuite, tout m'a semblé se couvrir de nuages sombres. Une lassitude, une confrontation avec le doute et une forme de désespoir se sont emparés de mon âme. La foi au Christ m'échappait, mais non mon attachement à Dieu ni même à l'Église catholique. J'étais devenu, en 1956, chef de comités de lecture au service des textes de Radio-Canada. La lecture et l'analyse de pièces de théâtre n'offraient rien pour m'aider à approfondir ma foi. J'en suis arrivé à renier le fondement même de mon existence : la foi au

Christ. Pourtant, je me disais chrétien, mais sa divinité et sa résurrection me semblaient invraisemblables. Jésus Christ était pourtant toujours mon meilleur ami, sans l'imaginer comme mon *chum*, selon l'expression d'aujourd'hui! Mon respect pour Jésus de Nazareth était trop grand.

Le prologue de l'évangile de saint Jean, lu des centaines de fois à la toute fin des messes d'avant le concile Vatican II, me semblait le fruit d'une splendide mythologie. De plus, la présence réelle du Christ dans l'eucharistie m'échappait complètement. Tout cela m'apparaissait absolument invraisemblable. À mon avis, et c'était clair, il suffisait de croire que Dieu bénissait ce geste de communion fraternelle à la mémoire de celui qui a été son principal messager. J'étais « protestant » et surtout « unitarien », mais catholique tout de même!

Le paradoxe de mon existence prétendument catholique et de ma foi très simplifiée me déchirait. J'avais l'impression d'être imprégné de non-sens. Le vertige de l'agnosticisme et, parfois, de l'athéisme m'effleurait brièvement. J'éprouvais un malaise terrible. Il faisait noir. Le gouffre s'ouvrait. Ma mère priait pour moi. Certaines personnes que j'avais autrefois amenées à la foi brûlante du vrai catholicisme priaient aussi pour moi. Ainsi, ma filleule, Madeleine W., une zwinglienne[46], avait opté pour le catholicisme après seulement une heure de franche conversation. Elle m'a ramené à la foi en Jésus Christ, en me confrontant aux réalités et aux vérités des textes de saint Jean sur l'eucharistie et, sans aucun doute, en priant pour moi. Sa grande foi a eu raison de mon manque de foi.

Après des années de souffrances terribles, la lumière est enfin revenue dans mon âme. J'ai accepté en tremblant le mystère de la présence du Christ vivant dans l'eucharistie. Les chapitres 6 à 17 de l'évangile de saint Jean ont allumé dans mon cœur un feu et une lumière qui m'ont ébloui. Au début, j'ai résisté. Mais petit à petit,

---

[46] Disciple de U. Zwingli, réformateur suisse du XVIe siècle. Celui-ci se caractérisait par le souci de ne rien conserver dans son culte et son Église qui ne trouve sa justification dans l'Écriture. Il s'est efforcé de constituer un véritable État chrétien, projet qui sera repris par Calvin.

tout a flambé. Comment oserais-je prétendre maintenant que l'Évangile n'est pas vrai? Il m'est alors devenu impossible d'imaginer que des Juifs aient pu raconter l'histoire d'un homme aussi authentique et intelligent que Jésus de Nazareth, en lui faisant déclarer, lors du partage du pain : « Ceci est mon corps », sans que ce ne soit vrai. La divinité du Christ m'y est apparue évidente. Un simple homme ne dit pas : « Ceci est mon corps, prenez et mangez-en tous » (*Matthieu* 26, 26). Il ne dit pas non plus : « Avant qu'Abraham fût, Je Suis » (*Jean* 8, 58). Pourquoi les évangélistes lui auraient-ils mis ces paroles blasphématoires dans la bouche? Et des Juifs se seraient complus à le faire passer pour un détraqué, ou un pauvre malade, ou même un fou? C'était invraisemblable! J'ai donc relu attentivement les évangiles pour en vivre, à l'exemple de ceux qui les ont écrits et des millions de saints et de saintes qui l'ont fait avant moi. Et j'ai lu des auteurs lumineux comme Jean Sulivan.

Jésus m'a plus tard conduit, oserais-je dire, à suivre un peu ses traces après avoir réalisé un documentaire sur quelqu'un qui est considéré justement comme un saint, Jean Vanier, à L'Arche de Trosly-Breuil, en France, près de Compiègne. C'était en 1967. Le contact avec les méprisés, les abandonnés, les orphelins a eu raison de mon cœur de pierre. Cela m'a amené tout d'abord à l'adoption d'un orphelin, en 1971, et plus tard à la préparation d'un documentaire très important sur le linceul du Christ, l'abandonné, le grand méprisé. J'ai donc approfondi la question de ce fameux linceul qui avait marqué ma jeunesse, en lisant les livres les plus récents.

Il m'était arrivé auparavant de lire quelques livres sur le linceul, mais je gardais cela pour moi. Je ne savais que faire avec tout ce que j'apprenais. J'achetais parfois quelques copies de ces livres pour les offrir. Mais presque personne ne semblait vraiment intéressé, comme c'est encore souvent le cas aujourd'hui. Cela me blessait, car il me semblait ridicule que des croyants et des croyantes ne veuillent pas vénérer cet extraordinaire portrait de Jésus, « le véritable portrait de Dieu » comme l'affirmait Claudel, avec raison. Je me demandais si on aimait vraiment ce Jésus, si on y croyait vraiment... On prenait plaisir à me dire que l'on n'avait pas besoin de cela pour croire. D'accord, mais si on aime Jésus, comme on aime ses parents dont on a des photos chez soi, pourquoi ne veut-on pas avoir aussi et surtout la photo de celui qui incarne l'amour éternel, notre doux maître, Jésus, le Fils de Dieu fait homme? Pourquoi ne veut-on pas méditer calmement devant sa face et même devant le linceul au complet? Pourquoi ne pas accepter avec enthousiasme le cadeau qui nous est fait et qui est le résultat, selon de très nombreux spécialistes, de l'illumination à l'instant de la résurrection? Par ailleurs, ne l'oublions pas, c'est là la seule photo de quelqu'un, je dis bien la seule, qui ait été prise avant l'invention de la photographie au début du XIXe siècle. Le phénomène demeure toujours inexplicable.

L'occasion s'est présentée de réussir un grand coup afin de faire aimer Jésus dans de nombreux pays. Quelle joie! En 1977, on s'est mis à parler un peu partout dans le monde d'une rare exposition du linceul qui allait se tenir à Turin, durant les mois de septembre et octobre 1978. J'étais toujours réalisateur à la télévision d'État. J'ai donc proposé au chef du service des émissions religieuses de tourner un documentaire sur la question. Le projet fut accepté à la condition que je collabore avec la télévision anglaise de Toronto pour diminuer les frais énormes encourus par une telle production. Je conservais tout de même mon entière autonomie. Nous avons donc tourné dix-sept entrevues à la NASA, aux États-Unis, à Scotland Yard, à Londres, à Paris, auprès de grands spécialistes et, surtout, à Turin, où je suis allé préparer le terrain dès le mois de juillet. J'y ai alors établi des contacts avec le cardinal Ballestrero et des membres importants du *Centro Internazionale di Sindologia*.

Au cours de ces préparatifs et surtout au cour du tournage, j'ai pu approcher des savants convaincus et convaincants. Ce fut passionnant. Il en est résulté un film d'une heure qui a réussi, à travers le monde, à faire comprendre à des millions de gens la splendeur de cette image qui tient, à mon avis, du miracle et qui livre en somme l'amour dont Jésus nous a comblés. Olivier Clément, cet éminent théologien orthodoxe de Paris, qui ne connaissait pas tellement cet objet, a su reformuler de façon magistrale ce que je m'étais permis de lui expliquer d'ailleurs à sa demande. Il a donc apporté une conclusion grandiose à ce documentaire. Heureusement, *Le Saint Suaire* reçut la plus importante ovation, lors d'un congrès international de réalisateurs d'émissions religieuses, tenu à Paris en 1979. Puis il fut très apprécié dans tous les pays où il fut montré à la télévision. Il s'en est vendu de nombreuses copies, en France, dans les grandes librairies religieuses. Les collèges de nombreux pays l'ont utilisé et s'en servent encore, car par bonheur, il n'a pas tellement vieilli[47].

L'intérêt principal de ce documentaire réside dans le fait de montrer un homme sacrifié qui est allé jusqu'au bout de sa vérité, quitte à donner sa vie de façon tragique, pour nous convaincre de son amour, comme il l'a d'ailleurs déclaré à la bienheureuse Angèle de Foligno. Ce documentaire tente de démontrer que la mort et la résurrection de Jésus, inscrites sur le linceul, sont preuves de son amour et de sa divinité. Pour réaliser un tel film, il faut tout d'abord tourner des dizaines de bobines puis choisir les images, petit à petit, lors du montage. Il faut donc revoir sans cesse les mêmes images. Dans ce cas-ci, j'ai contemplé durant des mois celles d'un flagellé, d'un torturé dont le visage étonnant est habité par la sérénité et la paix. Or, plus on contemple ce visage, plus on est bouleversé. On devient fragile. On est saisi, captivé, envahi par cet homme et, finalement, par Dieu lui-même : « Mon Seigneur et mon Dieu », comme l'a proclamé saint Thomas, à la vue des plaies de Jésus ressuscité et, particulièrement, de celle de son cœur sacré d'où le sang a coulé. Deux mille ans plus tard, nous pouvons, comme Thomas, répéter ces paroles stupéfiantes en contemplant le linceul.

Je suis donc demeuré très marqué par ce travail. Si bien qu'en le terminant le Vendredi saint 1979, il m'a été impossible, quelques heures plus tard, de faire en public la lecture de la Passion sans éprouver un choc devant ces simples mots : « Et Pilate le fit flageller. » Dans un éclair, j'ai revu la flagellation sur le linceul, les traces d'une centaine de coups effroyables qui m'ont fait trembler tant j'étais imprégné par ce personnage divin que j'avais appris à aimer davantage. Celui que j'aimais a été vraiment flagellé et couronné d'épines. Je voyais de mes

---

[47] On peut voir ce film sur le site web : www.dieu-parmi-nous.com

yeux le résultat de ces horreurs et de bien d'autres. Mon cœur se débattait. Étrange grâce.

Depuis ce jour, mon amour pour Jésus Christ n'a cessé de grandir. Je le dois en grande partie à mon film *Le Saint Suaire*. Ce fut l'une des plus grandes grâces que j'ai reçues. D'autant plus que mon fils, Guy, adopté en 1971, avait davantage ouvert mon cœur à la méditation des souffrances du Christ et de tous ceux et celles qui sont abandonnés. Il souffrait depuis sa plus tendre enfance une passion atroce. Or, Guy apprit rapidement à aimer Jésus, car « lui aussi a eu un père adoptif, saint Joseph! » Il se reconnaissait en lui, m'a-t-il dit, un jour, avant de mourir tragiquement à quarante ans, en 1994. Je le revois encore à la morgue, sa petite croix de bois au cou, revêtu de son fameux t-shirt sur lequel était reproduite l'immense face de Jésus couverte de son sang. Guy m'a laissé un petit-fils, Pascal, né en 1984, un grand jeune homme très bon et très gentil qui me fait comprendre que tout est grâce. Deux mois après la mort de son père, Pascal, 9 ans, m'écrivait cette petite lettre pour me consoler : « Cher grand-papa, je t'aime tellement que je vais exploser. Jésus t'aime très fort et quand tu es malheureux, il voudrait te consoler. Ou quand tu es malade, il voudrait te guérir. Je t'aime. Papa nous aime tous. Et on l'aime tous. Écris-moi! »

J'ai quitté Radio-Canada à l'âge de la retraite, en 1990, après avoir réalisé de très nombreuses émissions, dont 750 entrevues de la série « Rencontres » pendant vingt ans. Ces entrevues, souvent exigeantes, ont permis à un vaste auditoire de mieux connaître des personnes qui ont, pour la plupart, marqué la fin du XXe siècle, de Julien Green à Hans Urs von Balthasar, d'Eugène Ionesco à Jean-Louis Barrault, de Françoise Dolto à Hélène Carrère d'Encausse, de Claude Brunet à Fernand Dumont. Plusieurs invités m'ont profondément touché. Le Christ était parfois si présent dans les propos de quelques-uns d'entre eux que l'on demeurait saisis devant sa présence[48].

---

[48] On peut voir ou simplement écouter de nombreuses « Rencontres » sur le site web : www.dieu-parmi-nous.com

Cinq ans plus tard, on m'a demandé d'entreprendre bénévolement, sur les ondes d'une nouvelle station de radio que nous venions de fonder à Montréal, une série d'émissions quotidiennes d'une heure, « Rencontres spirituelles », consacrées surtout aux saints, aux bienheureux, etc. Cette série m'a permis de découvrir ou de redécouvrir plus de mille figures marquantes de l'histoire du christianisme. J'y ai ajouté rapidement bien des gens qui n'ont jamais été canonisés et même qui ne le seront jamais comme Bach, Shakespeare, Racine, Rimbaud, Victor Hugo, Luther, Calvin, Karl Barth, Daniélou, de Lubac, Leibniz, Sénèque, Érasme, Rûmi, Milarepa, etc., des gens qui ont cherché à donner un sens à leur vie ou dont la renommée demeure importante. Je me suis donc rapidement proposé, une fois de plus, d'unir culture et foi dans la grande tradition de l'Église, selon les désirs répétés des papes et à l'exemple de tant de grands saints et saintes. Ces émissions étaient diffusées le matin, en direct, et reprises le soir, à la grande satisfaction d'un vaste auditoire de gens de toutes conditions et formations. Il m'est arrivé de rencontrer des auditeurs enthousiastes de sept à cent deux ans. Ils étaient très nombreux à se faire un devoir d'écouter l'émission le matin et, s'ils le pouvaient, de la réécouter le soir. Ils tenaient ainsi à mieux saisir l'exemplarité et la pensée des saints et des autres personnages présentés. Ils voulaient aussi, sans doute, approfondir leurs connaissances, grâce à de nombreuses émissions spéciales (exemple : « Pourquoi vivre? ») sur des points fondamentaux de la pensée et de la réflexion tant chrétiennes que simplement humaines. Il y avait beaucoup de jeunes auditeurs et auditrices encore aux études. Certains d'entre eux se sont convertis et beaucoup ont décidé, eux aussi, de donner un sens à leur vie. Cette série, intitulée « Rencontres spirituelles », la plus populaire émission de Radio Ville-Marie, a pris fin trois mois avant son sixième anniversaire, le 2 février 2001, à la suite de la 1 164ᵉ émission. Celle-ci était consacrée à André Frossard, l'un des invités de la série « Rencontres » sur les ondes de Radio-Canada. À la fin de l'heure, j'ai dû annoncer ma démission, avec un immense regret[49]. Bien que

---

[49] On peut écouter 1 125 Rencontres spirituelles sur le site web : www.dieu-parmi-nous.com

ma santé ait été excellente, je me sentais obligé d'abandonner cet auditoire qui m'était extrêmement cher. De très nombreux témoignages d'enthousiasme et de fidélité me donnaient le goût de servir Dieu davantage. Or, je devais renoncer à ce qui me tenait le plus à cœur : renseigner des dizaines de milliers de gens avides de connaître la vie d'hommes et de femmes qui peuvent les inspirer.

J'ai appris jeune à m'émerveiller. Et j'aime toujours partager mon émerveillement. C'est pourquoi je donne des conférences partout où l'on m'invite. Comment ne pas être enthousiaste devant cet immense Univers et à la pensée de ce que nous sommes dans ce monde étrange. Je suis de plus en plus bouleversé par la simple idée que Dieu existe et que nous pouvons le connaître. Et je crois fermement qu'il nous faut partager notre joie et être fidèles à tout ce qui peut entraîner les autres à construire notre amour pour ce Dieu et pour sa création.

J'ai donc dû cesser d'accomplir ce travail solitaire et très exigeant. Je ne le faisais que par amour pour celui qui nous a tout donné et, aussi, pour rendre service à des dizaines de milliers de gens, tant sur le plan culturel que sur le plan spirituel. Unir la culture et la spiritualité a toujours été le rêve du jeune moine que j'étais en 1944. Ce rêve m'habite encore, mais je suis résigné à ne plus pouvoir le réaliser. J'oublie et je n'en veux à personne. J'ai appris à accepter l'épreuve comme si rien n'était arrivé. Il n'y a guère d'autre solution à mon âge.

Il s'agit donc encore une fois d'une des plus grandes épreuves de ma vie, je dirais même la plus déchirante. Bien des gens ont été réduits au silence depuis l'apparition des êtres humains sur la terre. Pensons au personnage d'Abel. Peut-être que, dans mon cas, on a eu raison de me faire taire. Je l'ignore. De toute façon, cela n'a rien de bien spécial. Nous partageons tous la passion du Christ à certains moments. Or, c'est en souffrant avec lui, en l'aimant et en pardonnant comme lui que nous pouvons aider le monde.

Ce monde attend qu'on lui annonce ce que l'on appelle la Bonne Nouvelle : l'amour que Dieu a pour nous et qui nous sauve de nous-mêmes. Comment découvrir cet amour? On l'apprend en méditant l'Évangile. On l'apprend aussi par la vie des saints et des saintes. Et on apprend à vivre de cet amour en se nourrissant surtout de l'eucharistie. C'est alors que l'on se décide une fois pour toutes : on choisit de ne plus jamais offenser ou blesser cet amour infini. On se laisse envahir, une fois pour toutes, par l'Esprit de Dieu. Il s'agit somme toute de donner sa vie par amour pour lui et pour les autres.

J'aime bien ces paroles du carme Marie-Eugène-de-l'Enfant-Jésus :

Pour être saint, il faut arriver à cet extrême, à un anéantissement tel qu'on n'ait qu'une chose à faire : espérer en Dieu. Étant appauvri complètement, on ne peut être sauvé que par un acte de confiance dans cette pauvreté complète, par un acte d'espérance jailli du dénuement absolu.

En somme, c'est dans la communion des saints, dans ce qui constitue ce que l'on appelle aussi le corps mystique, que tout se joue. C'est comprendre fermement que Dieu est parmi nous, en nous, et qu'il nous aime. Le reste est bien secondaire.

Irénée Beaubien, le « père œcuménique » est né à Shawinigan, en 1916. Il entre au noviciat des Jésuites en septembre 1936 et il est ordonné prêtre en 1949. Dès 1952, il fonde et dirige le *Catholic Inquiry Forum*, un lieu de renseignements et d'échanges sur le catholicisme. Il étudie au prestigieux centre *Lumen Vitae* à Bruxelles (1957-1958), où il rencontre des personnes et des organismes déjà en pleine ébullition pré-conciliaire. De retour au Québec, appuyé par le cardinal Léger, il fonde en 1963 le Centre d'œcuménisme. Trois ans plus tard, il crée l'Office national d'œcuménisme, au service de l'épiscopat canadien. En 1975, il fusionne les deux sous l'appellation de Centre canadien d'œcuménisme.

Irénée Beaubien est à l'origine du Pavillon chrétien de l'Expo 67. Le pape Paul VI le nomme, en 1968, consultant au Secrétariat pour l'unité des chrétiens. En 1984, il fonde « Sentiers de foi », qu'il dirige pendant onze ans. Maintenant à la retraite, il écrit ses mémoires et agit comme conseiller spirituel. Récipiendaire de deux doctorats honorifiques, il a été nommé Officier de l'Ordre du Canada le 17 janvier 2003.

Vers un Royaume universel

Né à Shawinigan au Québec, en 1916, j'ai grandi dans un milieu social sain, majoritairement catholique et francophone. Je pense avoir été un baptisé sociologique plus qu'un chrétien par choix. Toutefois, dans mon entourage, j'ai été témoin de nombreux exemples de charité et de dévouement qui ont retardé l'éveil, en moi, d'une remise en question.

J'avais treize ans lorsque le krach boursier de *Wall Street,* en 1929, a déclenché la terrible crise économique qui a affecté la majorité de la population. À cause d'une situation financière précaire, ma famille a connu des moments fort pénibles. J'ai quand même poursuivi mes études classiques à Trois-Rivières, mais avec moins d'enthousiasme. Après mon année de belles-lettres, j'ai obtenu un emploi d'été à 10 ¢ l'heure. Je faisais la drave avec des *lumberjacks* sur la rivière Saint-Maurice. Ces sympathiques gaillards m'appelaient « le p'tit crisse! » Le travail et l'argent étaient si rares que je me considérais chanceux d'avoir cet emploi. En 1935, à dix-neuf ans, après ma classe de rhétorique, par fierté et peut-être par orgueil, je n'ai plus voulu être à la charge de personne. Je me suis donc trouvé un emploi stable à la *Canadian Industries Limited* (CIL). Mon patron, un anglophone protestant, était chimiste, distingué et respectueux de ses employés.

J'étais fier de moi lorsque j'ai reçu mon premier chèque de paie! J'ai alors pris goût à la vie sociale. Je m'adonnais aux sports. J'aimais le contact avec la nature. Je pratiquais le canotage en été et le ski en hiver. Un jour, il m'est apparu que je n'étais pas fait pour passer ma vie en usine. J'ai eu l'idée de retourner aux études et de choisir une carrière. J'hésitais entre le droit, la médecine et le génie minier. Je ne détestais pas non plus la politique. Un éducateur de ma connaissance a alors eu le courage de me dire : « Tu as l'air mêlé. Va donc faire une retraite pour réfléchir au choix d'une carrière qui correspondra à ton tempérament. » Il m'a ensuite donné une adresse et un numéro de téléphone, à Montréal, où je pourrais suivre son conseil au moment voulu. Cet endroit était dirigé par les Jésuites. Sur place, un portier m'a accueilli et conduit à la chambre numéro treize. Mon avenir était en jeu. Aussi avais-je décidé de bien employer les trois jours qui étaient à ma disposition. Un jésuite âgé d'une cinquantaine d'années frappa à ma porte. Grand, mince, aux allures d'ascète, il s'est présenté et m'a impressionné. Après quelques échanges, il m'a laissé un livret en me recommandant de le lire et de réfléchir à son contenu. Il s'agissait d'une méditation sur l'origine de la vie humaine, sur la place minime que j'occupais dans l'ensemble de l'humanité et dans l'Univers. C'était la première fois que je me livrais à ce genre de réflexion. Chaque fois que mon guide revenait, je lui faisais part de mes pensées. Il me laissait alors d'autres textes à lire et à méditer. Ceux-ci m'interpellaient d'autant plus qu'il était nouveau pour moi de m'arrêter à penser sérieusement au sens profond de la vie. Je n'avais jamais réfléchi à l'éclairage particulier que la personne de Jésus projetait sur mes relations avec Dieu et avec mon prochain. Pas plus qu'à ma destinée ultime. Le deuxième jour, d'une façon mystérieuse et inattendue, comme si Jésus conversait avec moi, je l'ai entendu me murmurer intérieurement : « J'ai besoin de collaborateurs pour la promotion de mon Royaume d'amour et de paix. Laisse tout et suis-moi. » Je ne rêvais pas. Cet appel était à la fois clair, ferme et plein de douceur. Il m'est impossible de relater adéquatement cette expérience spirituelle. Il faut en avoir vécu de semblables pour comprendre. Au fond de moi-même, je ne voulais pas de cet appel. Il me faisait peur. Pourtant, mystérieusement, il persistait et me poursuivait. Était-ce un appel à la prêtrise? Que faire? Au cours de la troisième journée, mon guide m'a laissé un texte sur la passion et la mort de Jésus. Cette lecture m'a profondément bouleversé. Lui, le Fils de Dieu incarné, l'innocent, s'est laissé bafouer par des êtres humains. Il a enduré des souffrances physiques et morales pour le salut du monde… et pour moi! C'en était trop. Je me suis rendu. Intérieurement, j'ai répondu : « Tu me demandes de te suivre et de collaborer avec toi? Je n'en suis pas digne, mais je ne peux résister à ton appel. » Cette rencontre avec le Christ, cette expérience inédite allait marquer le reste de ma vie. J'aurais sans doute pu étouffer cette voix intérieure qui sollicitait ma libre adhésion à une vocation sacerdotale. Mais j'aurais eu le sentiment d'être un lâche.

Cependant, sur le chemin du retour, j'ai pensé que le père jésuite m'avait peut-être tendu un piège. L'enchaînement des lectures et des méditations m'avait paru d'une logique irrésistible. Plus tard seulement, j'ai compris que, en plus de la logique, s'était opérée en moi l'action mystérieuse et déterminante de l'Esprit saint. Après les adieux à ma famille, quelques conversations avec mes amis et mes compagnons de travail, le 7 septembre 1936, à minuit, à l'âge de vingt ans et huit mois, je suis entré au noviciat des Jésuites, à Montréal.

L'étape du noviciat durait deux ans. Pendant cette période, j'ai connu d'excellents compagnons de route. Ils venaient de divers milieux et ils avaient étudié en différents collèges classiques. Nous partagions un même idéal. Les échanges avec eux m'ont beaucoup apporté. Dans le cadre du noviciat, nous devions faire en silence durant un mois les exercices spirituels de saint Ignace de Loyola, fondateur de la Compagnie de Jésus. Plusieurs jours étaient consacrés à la contemplation de la vie, de la passion, de la mort et de la résurrection du Christ. Au cours de cette retraite, je me suis souvent promené sur le chemin paisible de la ferme. Parfois je réfléchissais sur mon passé. Un jour, je me suis souvenu d'un ami anglophone protestant avec qui je n'avais jamais parlé de religion. J'en ai éprouvé quasiment de la honte. Il m'est alors venu à l'esprit de confier cette pensée à Jésus : « Si c'est ta volonté, une fois ma formation terminée, j'aimerais travailler auprès des protestants. » Cette idée ne m'a jamais quitté. À la fin de mon noviciat, je me suis engagé, par les trois vœux de chasteté, de pauvreté et d'obéissance, à suivre Jésus en comptant sur l'assistance divine. Je considérais le vœu de chasteté comme un moyen d'intensifier mon amitié pour la personne du Christ dont je voulais épouser la cause au service de l'humanité.

Par la suite, j'ai suivi le processus normal de formation chez les Jésuites. Celui-ci comportait deux ans de littérature et d'histoire, trois ans de philosophie et de sciences. J'ai passé trois ans aussi en « régence » au collège Saint-Boniface, au Manitoba. Les responsables de cette institution m'ont confié quelques périodes d'enseignement, dont un cours sur le mouvement coopératif et les Caisses populaires (*Credit Unions*), et l'organisation des activités sportives pour l'ensemble des étudiants. J'ai ensuite complété quatre années d'études en théologie. J'y ai vécu un événement central dans ma vie : l'ordination presbytérale, administrée si dignement par monseigneur Joseph Charbonneau, alors archevêque de Montréal. Moment inoubliable! Dans la foi au Christ ressuscité, l'évêque m'a conféré un pouvoir divin. Ce qui m'autorisait, en union avec Jésus, à célébrer l'eucharistie, à pardonner les péchés, à répandre les bienfaits spirituels transmis par le ministère presbytéral et les sacrements. Quel mystère! Le lendemain, lors de la célébration de ma première messe, entouré d'amis et de parents, j'ai été profondément remué. Rendre présent sur l'autel le mystère pascal dans le pain et le vin consacrés, m'en nourrir et en nourrir les autres, était-ce possible?... Dans la foi, en conformité avec le projet d'amour voulu par Dieu au profit des hommes, oui, c'était possible.

Dans mes loisirs, j'avais correspondu avec des gens et des organismes des États-Unis qui exerçaient un apostolat spécialisé auprès des protestants. Au cours de mes vacances estivales, j'ai fait deux séjours enrichissants en sol américain. J'ai obtenu des entrevues avec des personnalités dont monseigneur Fulton Sheen, devenu célèbre grâce à une émission télévisée hebdomadaire.

Ma longue formation terminée, je pouvais enfin réaliser, avec l'assentiment de mes supérieurs, le rêve que je portais depuis le noviciat. En janvier 1952, au collège Sainte-Marie du centre-ville de Montréal, j'ai inauguré officiellement un service inédit : le *Catholic Inquiry Forum*. C'était une tentative mûrement réfléchie d'entrer en relation avec mes concitoyens non catholiques, dont la majorité était anglophone. Des gens m'ont dit que je perdais mon temps. Mais j'avais l'intuition que sur les 250 000 non-catholiques de la région de Montréal, il devait s'en trouver qui, pour des raisons personnelles, souhaitaient trouver un endroit où se renseigner sur la foi et les pratiques catholiques. Notre publicité comportait la note suivante : « *Sincere Inquirers Welcome. No fee, no obligation.* » C'est ainsi que le 14 janvier 1952, à raison de deux soirs par semaine, j'offrais pour la première fois une série de vingt-six causeries d'une cinquantaine de minutes, suivies d'une période de questions. Le premier soir, j'étais dans l'anxiété. Qui et combien viendraient? Soixante-sept personnes se sont présentées. C'était au-delà de mes espérances. Une cinquantaine d'entre elles ont assisté à toutes les rencontres. Cette première expérience a donné des résultats encourageants. Ce fut le début d'une activité qui allait engendrer d'autres initiatives.

Grâce à des contacts avec les médias et à la collaboration de plusieurs personnes, les services de l'*Inquiry Forum* se sont sans cesse développés : ouverture d'un local sur la rue Bleury, salles d'accueil et de conférence, bibliothèque, bureaux pour les entretiens privés. J'ai eu un premier, un second et un troisième collaborateur jésuite, en plus d'un prêtre diocésain anglophone. Les activités de notre centre étaient variées : aide à des paroisses et à des diocèses désireux de mettre en place un service semblable au nôtre, rédaction d'articles dans des revues et des journaux, participation à des entrevues à la radio et à la télévision, conférences, prédication, etc. L'appui du cardinal Léger, de mes confrères jésuites et de mes supérieurs m'a été d'un grand secours. Les locaux de la rue Bleury sont vite devenus exigus. En 1960, nous avons ouvert un second local dans un endroit idéal, rue Drummond.

En 1957, j'ai médité longuement le chapitre 17 de l'*Évangile selon saint Jean*. J'ai été saisi encore davantage par l'importance accordée par le Christ à l'unité de ses disciples. J'ai compris que l'unité des chrétiens divisés en plusieurs Églises ne s'accomplirait jamais uniquement par des conversions individuelles. Il fallait travailler sur de grands ensembles. Nous devions engager le dialogue avec les pasteurs et les responsables des autres dénominations chrétiennes et favoriser un climat d'ouverture avec eux, ce qui était impensable à l'époque. Une année de contacts et d'études en Europe m'a confirmé dans cette intuition. Dès mon retour au pays, à l'automne 1958, juste avant l'élection du pape Jean XXIII, avec beaucoup de discrétion, presque en cachette, je prenais la responsabilité de l'organisation de rencontres mensuelles entre des représentants d'Églises protestantes francophones et quelques prêtres catholiques à l'esprit ouvert. L'année suivante, toujours discrètement, je formais une équipe de théologiens catholiques pour inaugurer, en anglais, un second dialogue œcuménique avec les professeurs de la faculté de théologie de l'Université McGill. Peu à peu, se formait un petit cercle de catholiques qui s'initiaient à l'œcuménisme. En 1962, l'archevêque de Montréal a accepté de signer une lettre pastorale bilingue intitulée *Chrétiens désunis/Christians disunited*. Il a ensuite créé une commission diocésaine d'œcuménisme dont il m'a confié la présidence. Nous pouvions alors agir au grand jour. En 1963, nous avons mis sur pied le Centre diocésain d'œcuménisme qui a pris place dans les nouveaux locaux de la rue Drummond. C'était le premier centre du genre en Amérique du Nord. Puis, à la faveur du renouveau promu par le concile Vatican II, nos services se sont développés à Montréal, au Québec, au Canada et ailleurs dans le monde.

Il y aurait beaucoup à raconter sur la contribution de Montréal au progrès du mouvement œcuménique. Je mentionne brièvement le choix de Montréal par le Conseil œcuménique des Églises (COE) à Genève pour la tenue de la quatrième conférence mondiale de la Commission foi et constitution (*Faith and Order*). Cet événement majeur s'est déroulé du 12 au 26 juillet 1963 et il a rassemblé plus de quatre cent cinquante théologiens de toutes les confessions chrétiennes et de tous les continents. Même si l'Église catholique romaine n'avait pas encore établi de relations régulières avec le COE, notre commission diocésaine d'œcuménisme a collaboré étroitement avec lui, avec l'autorisation du cardinal Léger. Les réunions et les échanges de cette conférence mondiale se sont déroulés sur le campus de l'Université McGill. L'un de ses moments forts, la soirée de fraternité chrétienne, a eu lieu dans le grand auditorium de l'Université de Montréal.

Je tiens à signaler l'exceptionnelle initiative du Pavillon chrétien à l'Exposition universelle de 1967. Les sept principales Églises chrétiennes du Canada ont alors collaboré entre elles pour ériger ce pavillon sur le site de l'événement, afin d'y présenter un même témoignage de l'Évangile. Dans l'histoire de ces expositions, c'était la première fois qu'un tel pavillon était aménagé. Il a eu un retentissement mondial.

J'aimerais citer ici quelques autres initiatives de chez nous qui ont fait progresser le mouvement œcuménique :

– En 1966, nous avons procédé à l'inauguration d'un Secrétariat national d'œcuménisme, au service des diocèses francophones du Canada et de leurs évêques. Un semblable secrétariat était en même temps implanté à Toronto, en milieu anglophone. Nous avons beaucoup collaboré ensemble. C'est à ce moment que mon confrère Stéphane Valiquette s'est joint à moi, en tant que directeur adjoint. Il s'occupera particulièrement des relations avec les juifs.

– En 1968, le pape Paul VI me nommait consultant au Secrétariat pour l'unité des chrétiens à Rome.

– La même année, au Canada, un Groupe mixte de travail (GMT) a été mis sur pied. Il comptait des représentants choisis par le Conseil canadien des Églises et par la Conférence catholique du Canada. En 1971, un dialogue œcuménique s'est amorcé entre l'Église catholique et l'Église anglicane du Canada. En 1975, un semblable dialogue bilatéral sera inauguré avec l'Église unie du Canada. De 1973 à 1975, l'animation d'un comité mixte de recherche sur les relations entre francs-maçons et catholiques du Québec a contribué à créer des relations plus objectives. En 1975, nous avons procédé à la fusion du Centre diocésain et du Secrétariat national d'œcuménisme en une corporation appelée le « Centre canadien d'œcuménisme » (*Canadian Centre for Ecumenism*). Encore aujourd'hui, on peut obtenir au centre tous les renseignements souhaités sur l'évolution et les progrès vers l'unité des chrétiens. Le centre publie, entre autres, une revue trimestrielle qui circule dans quarante-deux pays anglophones et francophones.

En plus de l'Amérique du Nord et de l'Europe, mon travail et mes relations m'ont conduit en Inde, en Russie, au Japon, en Afrique, en Chine et en Amérique latine. Chaque fois, je me demandais :

« Que faudrait-il faire pour unifier l'humanité dans l'harmonie et la paix? » La même réponse fondamentale me venait immanquablement à l'esprit : « Aimer et faire connaître Jésus Christ, lui, la vérité et la vie, venu sur terre pour établir et proclamer partout le royaume de Dieu. » Il nous fait l'honneur de solliciter notre collaboration.

En 1984, je me suis senti fortement interpellé par le grand nombre de chrétiens qui cessaient de fréquenter l'Église. Après avoir assuré la stabilité et la continuité du Centre canadien d'œcuménisme, j'ai fondé, dans le hall de la salle du Gesù, au centre-ville de Montréal, un nouveau service appelé « Sentiers de foi ». Cet organisme se présentait comme un service d'accueil inconditionnel, ajusté au vécu personnel des gens en quête d'un Dieu miséricordieux. Grâce à une conférence de presse réussie, ce service a prouvé, dès ses débuts, qu'il répondait à des besoins urgents liés à un contexte socioculturel et religieux en mutation. Grâce aussi à des bienfaiteurs et à la collaboration de plusieurs personnes, diverses initiatives ont été prises. Chaque année, nous avons mis en marche un groupe d'échanges sur la foi chrétienne. Nous avons organisé des conférences publiques et des sessions d'une journée ouvertes plus particulièrement aux agents de pastorale. Nous avons également publié deux petits livres. Il importait d'aller à la rencontre des baptisés qui, même s'ils vivaient des situations irrégulières, désiraient être accompagnés et compris dans leur quête spirituelle. Mission délicate mais ô combien nécessaire! Après onze ans d'efforts soutenus, à l'approche de mes quatre-vingts ans, il m'a semblé opportun de démissionner comme président-directeur pour laisser à d'autres le soin de prendre la relève.

Arrivé au soir de ma vie, j'ai beaucoup de gratitude à exprimer et des pardons à demander. J'ai aussi des convictions à partager. Conscient d'avoir reçu la vie, sans l'avoir demandée, j'ai réfléchi sur le sens de mon existence. D'où viens-je, où vais-je? Quel est le projet de Dieu sur moi, sur l'humanité, sur le cosmos? Comment alimenter cette partie intime de ma personne qui englobe ma dimension spirituelle? Les recherches scientifiques, les connaissances philosophiques et humaines, si admirables et utiles soient-elles, n'arrivent pas à répondre adéquatement aux questions fondamentales sur le sens de la vie. Il me faut chercher ailleurs, au moyen d'un autre mode de connaissance appelé la foi. La Bible me révèle que Dieu est amour. Au commencement des temps, il a posé un geste d'amour gratuit et de générosité sans limite. Tout ce qui existe, tout ce qui se meut dans l'espace et le temps découle de cet acte créateur. Quelle abondance et quelle variété! Que de merveilles! Dieu est source de vie et non de mort.

Les scientifiques modernes nous rendent le service de s'appliquer à découvrir « comment » fonctionne l'Univers et « comment » à travers une lente et longue évolution fort complexe sont apparues graduellement sur terre la vie végétale, la vie animale et finalement la vie humaine. Comment ne pas y voir une planification, une intention guidant cette évolution? Dans tout le cosmos connu, seuls l'homme et la femme sont des êtres libres, capables de penser, de réfléchir, de choisir et d'aimer vraiment. En conséquence, Dieu peut entrer en communication avec eux, ses créatures préférées. Le temps venu, par un mystère d'amour qui dépasse l'intelligence et l'imagination humaines, Dieu, en son Fils engendré de toute éternité et en tout son égal, est né de la Vierge Marie. Ce Dieu fait homme appelé Jésus s'est ainsi rendu solidaire de l'humanité entière. Il en a épousé tous les aspects, toutes les dimensions, toute l'évolution et toutes les péripéties. Un jour, Jésus a déclaré : « Nul n'a d'amour plus grand que celui qui se dessaisit de sa vie pour ceux qu'il aime » (*Jean* 15, 13). Ces paroles n'étaient pas dites au hasard. Il les a vécues lui-même. Il a été trahi, torturé, mis à mort. Par amour, il a accepté de mourir sur une croix pour le salut du monde. Par sa mort, il a donné aux êtres humains l'accès à la vie surnaturelle. Afin d'authentifier sa mission, fait absolument unique dans l'histoire, son Père l'a ressuscité d'entre les morts. Le corps de Jésus a alors été transformé, spiritualisé, glorifié pour toujours. Cette résurrection, cette glorification, Jésus veut les partager avec nous. Il veut faire de nous ses sœurs et ses frères, des enfants adoptifs du Père. En bref, « Dieu a tant aimé le monde qu'il nous a donné son Fils unique » (*Jean* 3, 16). Il s'est fait homme pour que nous, les humains, puissions être divinisés. Jésus est en quelque sorte un pont entre nous et son Père. Malgré nos limites, il nous invite à nous dépasser. Par lui, mon médiateur, je suis devenu capable de vivre plus qu'une vie humaine. Lui, à la fois Dieu et homme, par un privilège inouï, me rend participant de sa vie divine. Il me destine à vivre dans l'intimité même de la vie trinitaire. C'est la confirmation d'une promesse qu'il a faite lorsqu'il a dit : « Je suis venu pour que les hommes aient la vie et qu'ils l'aient en abondance » (*Jean* 10, 10). Ce mystérieux privilège est destiné à tout le monde sans distinction. La dignité de chaque personne humaine en découle.

Fort de cette vérité révélée, j'essaie d'envisager lucidement l'éventualité de ma mort qui fait partie intégrante de ma constitution biologique. Dans la foi, je m'en remets totalement à l'amour et à la miséricorde de Dieu. J'ai un Sauveur qui intercède pour moi. Je crois que la gloire et le bonheur que Dieu me réserve pour l'éternité dépassent infiniment tout ce que mon imagination peut concevoir d'agréable, de beau, d'harmonieux et de durable. C'est ce que l'apôtre Paul a voulu exprimer lorsqu'il a écrit aux premiers chrétiens : « ce que l'œil n'a pas vu, ce que l'oreille n'a pas entendu […] tout ce que Dieu a préparé pour ceux qui l'aiment » (*1 Corinthiens* 2, 9). Sans doute, je dois continuer de cheminer, de faire bon usage de la dernière étape de ma vie, mais sans perdre de vue que je suis un être inachevé et que ma demeure permanente n'est pas ici-bas. Je suis un citoyen du ciel en pèlerinage dans ce monde. Le Christ ressuscité, maître de l'histoire et de la mort, respectueux de ma liberté, me tend la main pour me faire entrer dans la vie éternelle.

Deux mille ans après l'incarnation, la vie, la mort et la résurrection de Jésus, en dépit de nombreux progrès et de nobles réalisations inspirées par le message évangélique, on observe encore dans le monde beaucoup d'avarice, d'égoïsme, d'injustice, d'orgueil, de haine et de violence. Subsistent aussi des conceptions erronées, des divisions et des mensonges qui annoncent de faux paradis.

Devant un tel désarroi, dans une culture de sous-alimentation spirituelle, je me pose cette question : en tant que disciples du Christ, en communion les uns avec les autres, comment pourrions-nous nous entraider à découvrir plus en profondeur l'être humano-divin qu'il est et son message libérateur du Nouveau Testament ? Ne faudrait-il pas coordonner et intensifier davantage nos efforts pour mettre fin au scandale de nos divisions entre Églises chrétiennes? Ensemble, au moyen d'un ressourcement évangélique et spirituel, n'avons-nous pas la responsabilité et la mission de renouveler la face de l'Église afin de mieux servir notre entourage et l'humanité? Sauveur et lumière du monde, Jésus nous incite à mettre en œuvre les orientations et les valeurs liées à l'avènement du royaume de Dieu. Son message en est un d'amour, d'engagement, de justice, de liberté, de vérité, de solidarité et de partage. Il a préconisé l'humilité, la compassion, le pardon et la réconciliation. Il a beaucoup insisté sur le recueillement et la prière. Par son comportement et ses paroles, il a inauguré le royaume de Dieu sur terre. Il nous rend capables de travailler effectivement à l'évolution harmonieuse de l'humanité. « Jamais un homme n'a parlé comme cet homme » (*Jean* 7, 46). Nous ne méritons pas son Royaume. Il nous est pourtant offert gratuitement et il est ouvert à tout le monde. Nous l'accueillons par choix libre et personnel. Ce Royaume existe pour être mondialisé. Chrétiens et croyants, nous sommes ses ambassadeurs. Il nous revient de promouvoir ce Royaume pour le mieux-être de tous les humains en quête de sens. À Montréal, mon souhait serait de voir des œcuménistes compétents et motivés s'entendre pour ouvrir et animer un Centre de renseignements sur Jésus Christ. En effet, comment discerner la priorité des priorités dans nos entreprises? L'origine de l'autorité et du dynamisme fondamental du christianisme ne se trouve-t-elle pas dans la personne de Jésus Christ, « lumière du monde »? Or, « la lumière brille dans les ténèbres, et les ténèbres ne l'ont point comprise » (*Jean* 1, 5). Que faire?

J'ai l'intuition que le progrès de la foi chrétienne repose en grande partie sur l'intensification éclairée du mouvement œcuménique. Celui-ci est capable de générer une saine émulation, une compréhension, un respect et un enrichissement mutuels entre les croyants. Ce mouvement inspiré par l'Esprit saint peut contribuer à une juste mondialisation voulue par Dieu. Ne compte-t-il pas sur notre collaboration et notre engagement pour promouvoir son Royaume universel? Jésus Christ nous a promis son assistance mystérieuse, mais réelle, jusqu'à la fin des temps. En lui, nous pouvons puiser lumière, force et paix intérieure qui engendrent confiance et espérance.

Dans la présente étape de mon existence, où en suis-je dans mes rapports personnels avec Jésus Christ? Je crois fermement que Jésus ressuscité, le Vivant, m'habite. Il m'attire vers son Père et me guide discrètement par son Esprit. Comme le déclarait Luther, mon problème c'est d'être à la fois juste et pécheur. D'où ma joie de me savoir aimé de Dieu et ma tristesse de ne pas être aussi parfait qu'il le désire.

J'aime à répéter que l'événement le plus important de toute l'histoire du cosmos et de l'humanité est la venue et le passage de Jésus sur terre. Jésus est l'un des nôtres. Il a ennobli notre humanité. Il l'a élevée à un niveau inespéré en partageant avec nous sa vie divine. Avec lui, « un monde nouveau est né ». Maître de la mort, il reviendra à la fin des temps « sur les nuées du ciel dans la plénitude de la puissance et de la gloire » (*Matthieu* 24, 30). Ce jour-là, Jésus Christ achèvera son œuvre. Il assumera en lui tout le cosmos et toute l'humanité. Il les transformera et les intégrera à la gloire de sa personne dans un acte d'amour, de communion et de partage, en un bonheur éternel et indicible. Ce sera alors l'accomplissement parfait et universel du royaume de Dieu.

Dans le présent, pour vivre quotidiennement le message vivifiant de l'Évangile, il nous faut plus que des convictions et des efforts naturels. Il nous faut compter sur l'assistance de l'Esprit saint livré à l'humanité par Jésus au moment crucial de sa mort. Ici, nous passons de l'ordre naturel à l'ordre surnaturel révélé dans l'Évangile.

Puisque je crois en la puissance de la prière, je termine ce témoignage par une invocation à l'Esprit saint, proclamée publiquement à Hanovre, en Allemagne, le jour de la Pentecôte de l'an 2000. Ce jour-là était consacré au Pavillon du Christ sur le site même de l'Exposition internationale et universelle appelée « Expo 2000 ».

Esprit saint, toi qui as pour mission
d'orienter et de guider nos existences,
accorde-nous le souffle et le feu
d'une Pentecôte pour notre temps.

Daigne inspirer nos humbles efforts pour l'avancement,
en nous et autour de nous,
du royaume de Dieu inauguré par Jésus Christ.

Forts de ton appui, solidaires les uns des autres,
puissions-nous utiliser nos talents et nos ressources
au service d'un renouveau
ajusté aux réalités d'aujourd'hui.

Aide-nous à trouver des orientations
qui répondent aux aspirations les plus légitimes
d'une humanité en quête d'unité et de paix
dans la vérité et l'amour. Amen.

Émile Robichaud, marié et père de deux garçons, est un éducateur chevronné, un défenseur de l'école humaniste avec plus de quarante ans d'expérience comme enseignant et directeur d'école. Il a fondé l'école Louis-Riel de Montréal, dont il a été le directeur pendant dix-huit ans. De 1992 à 1997, il a été membre du Conseil supérieur de l'éducation.

Émile Robichaud est, depuis 1992, directeur général de l'ICM — Pavillon Marie-Guyart, Institut universitaire de formation des maîtres rattaché à l'Université de Montréal. Conférencier recherché, auteur d'articles et d'ouvrages sur l'éducation — dont son plus récent : *Qui a peur de la liberté?* (Laval, OIKOS, 2000) — Émile Robichaud est également président fondateur de l'organisme OIKOS, ressourcement et formation. Il est gouverneur du centre de réhabilitation « Le Portage » et siège à plusieurs conseils d'administration.

Le feu de la colère
et le feu de l'amour :
Ignace et Benoît

Le chrétien travaille à la transformation du monde dans l'espérance, fondée par le Christ en son retour et en l'avènement, qui doit tout transformer, du royaume de Dieu, où sera engrangée toute contribution au bien.

H. U. von Balthasar[50]

Ignace...

Julien Harvey m'a enseigné le grec... et la natation! C'était au collège Sainte-Marie dans les années 50. Il nous entretenait avec la même verve, la même énergie, la même conviction du casque étincelant d'Hector, dans l'*Iliade*, et de l'*ubris,* de la « démesure », terme qu'utilisaient les Grecs pour nommer ce que nous appelions alors le « péché ».

Julien Harvey l'érudit, le savant, le brillant professeur d'université, le provincial des Jésuites du Québec, mais aussi l'infatigable défenseur des petits, des sans-voix. Une vie riche, ardente. Et quand il mourut, le 31 mars 1998, la Compagnie de Jésus inscrivit sur sa notice nécrologique ces quelques lignes qui disent tout :

---

[50] *Aux croyants incertains,* « Le Sycomore », Paris/Namur, Éditions Lethielleux/Culture vivante, 1980.

En souvenir du Père Julien Harvey, s.j.

Seigneur Jésus, apprenez-moi à être généreux;
À vous servir comme vous le méritez;
À donner sans compter,
À combattre sans souci des blessures,
À travailler sans chercher le repos;
À me dépenser sans attendre d'autre récompense
Que celle de savoir que je fais votre sainte volonté.

saint Ignace de Loyola

Je cite à la lettre cette prière d'Ignace de Loyola, apprise et tant de fois méditée pendant mes huit années d'études au collège Sainte-Marie, parce qu'elle résume ce que mes parents et mes maîtres m'ont appris. Quand des gens d'affaires m'ont demandé de témoigner de ce qui me faisait vivre, je leur ai remis ce texte et je l'ai commenté, brièvement. Parce que ce sont de plus en plus des témoignages que recherchent nos contemporains. Le pape actuel l'a bien compris : le monde a plus besoin de saints et de saintes que de brillantes démonstrations théologiques!

Puisqu'on nous a demandé de témoigner au je de notre relation vivante avec le Christ Jésus, je me sens bien à l'aise de citer cette expérience, répétée d'ailleurs à de nombreuses reprises. Le succès de la philosophie de l'éducation qui a nourri, entre autres l'école secondaire Louis-Riel, et inspiré mes multiples interventions, aussi bien à la télévision que dans des conférences, des sessions de formation, des rencontres de toutes sortes, explique probablement ces invitations à témoigner « de ce qui m'a nourri, inspiré, soutenu ».

Dans une entrevue accordée à madame Denise Bombardier (émission *Les Idées Lumière,* 30 octobre 2000), André Comte-Sponville, après avoir dit « qu'une vertu est une valeur incarnée », ajoutait : « Depuis 2 500 ans, on sait ce qui est acceptable et ce qui ne l'est pas, on sait qu'il vaut mieux être généreux qu'égoïste, doux que violent, juste qu'injuste : ce qui manque, c'est le courage de le faire! » Il l'avait d'ailleurs déjà écrit : «Toutes les vertus se tiennent, et toutes tiennent au courage[51].» Mes parents n'étaient pas parfaits. Mes maîtres n'étaient pas parfaits. Julien Harvey n'était pas parfait. Mais ils étaient vertueux, si l'on entend par là que « le propre de la vertu n'est pas tant de trouver les comportements justes que d'accroître l'être de celui qui agit ». Et Jean Bédard ajoute ceci, qui dit l'essentiel :

> Marie de l'Incarnation ou Mère Teresa n'ont pas forcément agi avec plus de sagesse que bien de leurs contemporains. Mais elles avaient un être tel que, malgré leurs comportements souvent discutables, elles éveillaient les gens à eux-mêmes, elles les mobilisaient vers l'aventure de l'être, elles les émancipaient y compris du modèle qu'elles leur donnaient à voir.

Ce qui importait pour elles, c'était de « couler de Source », de « laisser la vertu opérer en elles[52] ».

Seigneur Jésus, apprenez-moi à être généreux; à vous servir comme vous le méritez; à donner sans compter...

Il est dangereux de laisser la vertu opérer en nous! Cela nous amène à laisser la générosité l'emporter sur le calcul, la stratégie, le plan de carrière. À être généreux de notre temps, de notre personne, de nos idées. Quand ils viennent nous voir, nos anciens élèves ne nous parlent jamais du contenu de nos cours. Ils nous rappellent plutôt ce qui les a marqués, « impressionnés », c'est-à-dire ce qui a laissé une empreinte. C'est ce qui émanait non pas de nos livres, de nos savantes démonstrations, mais de nous-même, de notre être vrai. Les jeunes ne s'y trompent jamais. Ils gardent seulement le souvenir des maîtres qui les ont éveillés à eux-mêmes et qui ne les ont jamais trompés sur l'essentiel.

Jugement redoutable que celui de nos anciens élèves que la vie a éprouvés et qui savent maintenant qui les a enrichis et qui les a trompés.

---

[51] A. COMTE-SPONVILLE, *Petit traité des grandes vertus*, Paris, PUF / Perspectives critiques, 1998, p. 79.

[52] J. BÉDARD, « Nicolas de Cues et le bonheur mystique de la docte ignorance », Montréal, revue *Liberté* n° 252, vol. 43, n° 2, mai 2001, p. 15 et 16.

Pour « donner sans compter », il faut donc apprendre à être généreux, apprendre à se donner soi-même, à donner non pas le superflu, le temps « qui reste » mais tout le temps qu'on a, même si ce n'est pas « rentable ». Combien de fois me suis-je fait demander ce que tout cela me « donnait »! Servir, non pas comme l'exigent mon « plan de carrière », ma description de tâche, ma convention collective, mon employeur, mais servir « comme le Seigneur le mérite », comme nous l'ont appris nos maîtres. Ils nous l'ont appris par le témoignage quotidien de leur engagement au service du Christ. Ces quelques lignes du père René Latourelle, ancien élève du collège Sainte-Marie, l'attestent :

> Mes professeurs d'alors, des Jésuites, étaient plus que des maîtres : des témoins sans prétention, les témoins d'une personne, le Christ qui avait d'abord illuminé et transformé leur vie. Ces hommes ne calculaient pas leur temps en termes de crédits, mais de temps consacré à Dieu. Je n'avais pas à m'interroger sur le sens de la vie : il était là devant moi, tous les jours. Ce spectacle a eu sur moi une influence déterminante. J'ai été conquis au Christ par des hommes qui l'ont rendu visible dans leur vie[53].

J'ai déjà nommé le père Julien Harvey, je pourrais ajouter : les pères Roméo Bergeron, Arthur Gauthier, Roland Saulnier, Jean Lippé, Maurice Vigneau, Émile Cambron, Bernard Taché et combien d'autres!

À combattre sans souci des blessures

Le christianisme exige l'engagement total de la personne parce qu'il est, le rappelle René Latourelle, « la seule interprétation authentique de son existence[54] ». Comment alors oublier, quand on veut faire œuvre d'éducation, cette interpellation du Christ, dans l'évangile : « Laissez les enfants venir à moi et ne les empêchez pas » (*Marc* 10, 14)? La façon sournoise d'éliminer de nos écoles — de toutes nos écoles publiques — toute référence à l'engagement

---

[53] R. LATOURELLE, *L'Infini du sens — Jésus-Christ*, Montréal, Bellarmin, 2000, p. 18.

[54] *Ibid.*, p. 247.

chrétien[55] et au message d'espérance de Jésus Christ rappelle étrangement la situation qui fit réagir le Christ aussi fortement. Je l'évoque en citant Marc : « On lui amena des enfants pour qu'il les touchât. Mais les disciples réprimandèrent ceux qui les présentaient. Jésus le vit, et tout indigné leur dit : "Laissez les enfants venir à moi" » (*Marc* 10, 13). Mon confrère, Gary Caldwell et moi, avons parcouru une bonne partie du Québec[56]. Nous avons constaté que « les disciples » réprimandent encore « ceux qui présentent les enfants »! Il faut voir avec quelle indifférence (quand ce n'est pas carrément du mépris!) des autorités, civiles et religieuses, ont reçu les humbles demandes de parents qui auraient voulu obtenir ne serait-ce que la possibilité de conserver quelques écoles confessionnelles, comme l'ont demandé aussi nos compatriotes de religion juive, afin de pouvoir choisir « un système scolaire transmettant les valeurs et les croyances religieuses sur lesquelles leur vie est fondée[57] ». Le moins que l'on puisse dire, c'est que la plupart des dites autorités n'ont pas fait leur l'appel d'Ignace de Loyola « à combattre sans souci des blessures »! Il n'y a pas eu de blessures... parce qu'il n'y a même pas eu de combat! Même le Comité catholique du Conseil supérieur de l'éducation, bien conscient que la population pourrait être stupéfaite des conséquences de l'abrogation du fameux article 93, « a décidé de retarder la publication de son avis pour ne pas "semer l'inquiétude" et "embarrasser le gouvernement"[58] ». Nous voilà bien loin de l'esprit évangélique! Le Christ n'a pas craint de semer l'inquiétude et... d'embarrasser le gouvernement!

Pendant toute ma carrière, j'ai œuvré dans le secteur public. J'ai toujours voulu offrir à tous les enfants, de quelque condition qu'ils

---

[55] Bien sûr, il reste — officiellement — quelques heures d'enseignement religieux au programme, mais personne n'est dupe de ce « faire semblant » bien temporaire.

[56] Voir G. CALDWELL, É. ROBICHAUD, *Qui a peur de la liberté?* Laval, OIKOS, 2000.

[57] Extrait du mémoire présenté par le Congrès juif canadien, région du Québec, devant la commission parlementaire sur la place de la religion à l'école, en novembre 1999.

[58] G. CALDWELL, *La culture publique commune*, Montréal, Éditions *Nota bene*, 2001, p. 141. Caldwell cite le procès-verbal de la 330ᵉ réunion du Comité catholique, 4 et 5 décembre 1997, Montréal.

fussent, le meilleur de ce que la société pouvait leur offrir. Dans le respect de leur choix et de celui de leurs parents, je voulais aussi leur fournir l'occasion de rencontrer Celui que mes maîtres m'avaient appris à connaître et à aimer. Voilà pourquoi je n'ai jamais accepté que l'épiscopat ait baissé aussi facilement les bras. Dans sa déclaration du 18 octobre 2000, l'Assemblée des évêques du Québec écrit :

> Il est bon de rappeler que cette nouvelle situation n'empêche pas certaines écoles privées de se donner une orientation où la place de la tradition catholique constituera une caractéristique importante de la formation dans leur projet-école.

Une démarche qui ressemble étrangement à celle de la Fédération des Associations de l'enseignement privé (la FAEP) qui, dans son mémoire à la Commission parlementaire sur l'éducation, a cru bon d'affirmer : « Il nous semble qu'il est désormais souhaitable, dans l'état actuel de la société québécoise, que les écoles publiques ne soient affectées d'aucun caractère ou statut confessionnel. » Et d'ajouter, un peu plus loin : « Il convient désormais de demander à l'école publique d'être tout simplement une *bonne école.* » Le mémoire de la FAEP poursuit : « Ce changement nous paraît souhaitable à la grandeur du territoire du Québec, pour l'ensemble des écoles primaires et secondaires ». Cette affirmation en dit long sur la conception qu'on se fait, dans certains milieux, de l'appel à l'évangélisation! Voilà maintenant qu'il faudra fréquenter des institutions privées pour entendre parler de Jésus Christ!

> Si vous avez les moyens d'habiter par exemple la ville d'Outremont ou les alentours, vous aurez le choix, au secondaire, entre cinq excellentes institutions privées : Brébeuf, Notre-Dame, Marie-de-France, Stanislas, Jésus-Marie. Toutes ces institutions sont nées d'un « projet éducatif illuminé par le message évangélique et attentif aux exigences des jeunes d'aujourd'hui ». Pourquoi les parents de l'an 2000 n'auraient-ils pas le droit de se donner, au secteur public, de telles écoles[59]?

---

[59]   G. CALDWELL, É. ROBICHAUD, *op. cit.*, p. 55 et 56.

« Un projet éducatif illuminé par le message évangélique et attentif aux exigences des jeunes d'aujourd'hui » : une utopie? Pourtant, nous avons trouvé cette « utopie »... dans le Statut de l'enseignement catholique en France, une France laïque et républicaine qui subventionne ces écoles « libres »... à 90 %!

Le combat n'exigeait même pas du courage, tout au plus un peu de foi, d'espérance et de charité, c'est-à-dire d'amour des enfants. Des enfants qui, souvent bouleversés par une existence désespérante, auraient grand besoin d'apprendre qu'ils ne sont jamais abandonnés à eux-mêmes, mais qu'ils sont aimés par Quelqu'un de vivant à qui ils peuvent confier leurs peines et qui ne les abandonnera jamais.

Une nouvelle évangélisation s'annonce : n'entendront parler du Christ que ceux et celles qui le voudront bien! Il faudra avoir des parents croyants et remplis de zèle apostolique pour connaître Jésus Christ! Les enfants n'entendront bientôt plus parler de lui dans leurs écoles — publiques — dûment aseptisées de toute démarche de foi. D'ailleurs, depuis 1982, l'épiscopat a bien fait comprendre à tout le monde qu'il ne fallait pas confondre catéchèse et enseignement religieux, lequel devait se borner à dispenser des connaissances sans essayer d'amener à la foi! C'est réussi! Magistralement réussi! Hans Urs von Balthasar a bien vu le problème :

> Les formes modernes d'organisation qui s'introduisent dans l'Église sont souvent pour elle à double tranchant, car l'Église n'est pas une société taillée sur un modèle de ce monde. Les conférences épiscopales, qui en soi ne sont aucunement une instance théologique, peuvent être fondées à s'occuper de situations communes à l'ensemble d'un pays, mais elles portent en elles le danger éminent que l'évêque individuel, qui est la véritable instance théologique, s'efface derrière le dos de ses collègues, et n'ose plus prendre de mesures sous sa propre responsabilité.

Balthasar va plus loin :

> C'est encore pire lorsque les conférences, comme c'est le cas dans beaucoup de pays, établissent des commissions administratives, avec de soi-disant experts, qui devraient

conseiller les évêques, mais en réalité les terrorisent comme des groupes de pression déclarés[60].

Chez nous, les soi-disant experts n'ont pas, bien sûr, terrorisé les évêques : ils se sont contentés de trop souvent les neutraliser en diluant le message évangélique dans un fatras socioculturel insignifiant. Il ne restait plus qu'à ficeler le tout dans une langue de bois à ce point insipide que personne ne pourrait reprocher quoi que ce soit à qui que ce soit !

J'ai rencontré personnellement quelques évêques : ils se sont toujours effacés derrière la solidarité avec l'Assemblée des évêques. Une solidarité qui m'est apparue plus syndicale que pastorale. J'en ai éprouvé une grande nostalgie : celle de la liberté évangélique et du courage chrétien. Les évêques sont des pasteurs. Le pape leur confie la responsabilité d'un diocèse, il ne les nomme pas membres d'une conférence épiscopale. Les fidèles d'un diocèse ont le droit de connaître la pensée de leur évêque à propos de questions aussi fondamentales que l'avenir de l'éducation chrétienne de leurs enfants. L'évêque d'un diocèse devrait être d'abord solidaire de ses fidèles. Les parents chrétiens, qui se sont sentis abandonnés par ceux-là mêmes qui auraient dû les écouter avec respect et soutenir leurs justes attentes, en sont venus à douter de la justesse de leurs revendications. Qu'ils se rassurent :

> Ceux dont « l'œil est simple » et qui sont « entièrement dans la lumière » (*Matthieu* 6, 22) n'ont pas à s'inquiéter, ni à se figurer que le théologien scientifique en sait plus sur les vérités de foi qu'un chrétien solide qui essaie de vivre jour après jour ces vérités, ni qu'un spécialiste de la Bible comprend mieux l'Écriture qu'un simple moine qui la médite depuis des années[61].

Ces parents seront peut-être rassurés, mais ils resteront profondément blessés.

---

[60] H. U. VON BALTHASAR, *Aux croyants incertains,* p. 111.

[61] *Ibid,* p. 8.

... et Benoît

J'étais donc au collège Sainte-Marie, en rhétorique. Mon directeur spirituel, un jésuite qui me connaissait bien, m'a suggéré d'aller faire ma retraite à Saint-Benoît-du-Lac parce « qu'il n'y a pas de sermons et que vous serez laissé à vous-même, ce qui vous conviendra mieux, je pense » ! C'est ainsi qu'en décembre 1953, j'ai connu Dom Vidal et Benoît de Nursie. Au décès du père Vidal, en mars dernier, mon cher ami Dom Jacques Garneau, abbé de Saint-Benoît (et ancien comme moi du Sainte-Marie!), m'a demandé de rédiger un court témoignage. Je vous en livre le contenu pour dire ici ce que cet homme de Dieu nous a si généreusement apporté :

> Le père Vidal a pratiqué de tout son être l'hospitalité bénédictine. Il recevait tous les hôtes en leur citant la Règle : « Tout hôte qui survient au monastère sera reçu comme le Christ en personne. » Et cela valait autant pour les petits que pour les grands.
>
> Aux plus désespérés, à ceux que l'alcool, la drogue, les misères de toutes sortes avaient asservis, il présentait le Christ, « votre ami le Christ, qui vous aime, qui vous comprend et qui ne vous abandonnera jamais ».
>
> Aux jeunes universitaires, souvent égarés dans les idéologies à la mode, à tous ceux que la vie avait favorisés, il suggérait la lecture du *Christ, vie de l'âme,* de Dom Marmion.
>
> Ainsi, toute sa vie, le père Vidal aura témoigné de l'affirmation de saint Paul : « Si quelqu'un est en Jésus Christ, il est une créature nouvelle » (*2 Corinthiens* 5, 17). Tout le ministère du père Vidal est contenu dans l'appel de saint Paul : « Au nom du Christ, nous vous le demandons, laissez-vous réconcilier avec Dieu » (*2 Corinthiens* 5, 20).
>
> Puisse le Christ lui-même accueillir dans son amour son serviteur qui, en son nom et pendant plus de quarante ans, avec tant de foi, de respect et de bonté a accueilli tous ces hôtes venus chercher, dans la maison de Dieu et de Benoît, le réconfort, l'espérance et la paix !

Oblat bénédictin depuis juin 1959, je me nourris depuis ce temps de la Règle de saint Benoît. Elle a inspiré ma vie et ma pratique professionnelle. Benoît a rédigé sa Règle au moment où le monde romain s'écroulait. Il avait bien compris que c'était non pas la fin du monde, mais la fin d'un monde, et qu'il fallait sauvegarder l'essentiel, l'unique nécessaire : la Règle en témoigne.

L'équilibre

Benoît pose d'entrée de jeu l'exigence fondamentale : « Ne rien préférer à l'amour du Christ » (*Règle*, chap. 11). Tout le reste en découle. La Règle est faite d'équilibre. Ainsi, « l'abbé équilibrera si bien toutes choses que les forts aient à désirer et que les faibles n'aient pas à s'enfuir » (*Règle*, chap. 64). Ne pas encourager la facilité, ne pas tout niveler, tout réduire au plus petit commun dénominateur pour enlever toute volonté de progrès aux forts. Mais, en même temps, ne pas trop exiger des faibles, ne pas décourager ceux qui ont plus de difficulté à atteindre leur idéal et celui que la Règle leur propose. Saint Benoît revient souvent à cette nécessité de l'équilibre et du respect des aptitudes et des capacités de chacun. Ainsi, au chapitre 48, il écrit : « Que tout se passe cependant avec mesure à cause des faibles. » Exiger, mais ne pas étouffer.

J'ai essayé de toujours respecter cette sagesse. Équilibre, aussi, dans son mode de vie : « L'oisiveté est ennemie de l'âme. Aussi les frères doivent-ils s'adonner à certains moments au travail manuel et à d'autres heures déterminées à la lecture de la parole divine » (*Règle*, chap. 48). Toujours la même recherche de l'équilibre. Cette disposition de la Règle a eu, sur la culture occidentale, une énorme influence. En demandant à ses moines de consacrer, chaque jour, du temps à la lecture de la Bible, des Pères de l'Église et d'autres écrits spirituels, saint Benoît a fait de ses monastères les sources vives de la culture occidentale. Il ne l'a pas fait, bien sûr, sciemment « mais son attention à ce qui construit la personne a posé en fait les fondements d'une culture[62] ». Quelle part réservons-nous, dans nos existences fébriles,

---

[62] *Saint Benoît, un homme de Dieu pour tous les temps*, Enseignement catholique, document n° 593, décembre 1979, p. 20.

à ce qui construit la personne? Quelle part réservons-nous au silence, à la méditation, à la lecture d'œuvres riches de sens qui nourrissent notre vie intérieure?

Si l'Occident vit des heures pénibles, ne le doit-il pas à son oubli de l'équilibre, à son peu de respect pour la vie intérieure, à un tel oubli de « ce qui construit la personne » qu'il en est même arrivé à ne plus pouvoir définir ce qu'est une personne équilibrée? La dénatalité, le suicide des jeunes, l'état lamentable de la vie culturelle de tant de jeunes (et de moins jeunes!) montrent bien l'urgente nécessité de retrouver cet équilibre perdu. Et comment y arriver autrement que par une attention à tout ce qui construit la personne?

Les petites choses...

Ainsi donc, l'école Louis-Riel devait beaucoup à la Règle de saint Benoît! Et jusque dans les « petites choses », celles dont les beaux esprits disent qu'il ne faut pas s'occuper... pour réserver son attention aux grandes choses... qu'ils réalisent rarement! Une prescription de la Règle m'a fait longuement réfléchir : « Tous les objets et tous les biens du monastère seront à ses yeux comme les vases sacrés de l'autel » (*Règle*, chap. 31). Saint Benoît enjoint ainsi le cellérier du monastère (celui qui est en quelque sorte l'économe) de veiller au respect des biens du monastère non pas à la légère avec une sorte de détachement négligent, mais comme s'il s'agissait « des vases sacrés de l'autel ».

Voilà de quoi nous surprendre, nous qui avons développé à un si haut degré la manie du jetable. Nous avons acquis un réflexe de gaspillage : utiliser et jeter. Saint Benoît n'a jamais parlé de pollution ni de récupération, mais il a insisté sur le respect des objets. Il y a là quelque chose de fondamental et de troublant. À force de tout jeter, à force de croire que tout peut être remplacé, nous avons d'abord perdu le respect des choses et, ensuite, celui des personnes. Utiliser et jeter les objets... Utiliser et jeter les personnes... Le sort que nous réservons aux personnes âgées et malades, aux ex-patients des hôpitaux psychiatriques abandonnés à eux-mêmes, aux enfants à naître en dit long sur notre évolution. Il y a un vandalisme qui prend les objets pour cible; il y a, aussi, un vandalisme qui prend les personnes pour cible. Tous deux naissent d'une même absence de respect. Et, par une mystérieuse alchimie de l'âme, le vandalisme physique donne vite naissance au vandalisme spirituel et moral.

L'accueil

J'ai dit plus haut ma reconnaissance pour l'accueil que j'ai toujours reçu à Saint-Benoît. Un accueil vrai, chaleureux, fraternel. Un accueil que j'ai essayé de pratiquer moi aussi, malgré la lourde tâche de directeur d'une grande école secondaire de 1 700 élèves en milieu urbain. Être présent le matin à l'entrée des élèves pour les saluer et à leur sortie pour leur dire au revoir! Garder la porte de mon bureau toujours ouverte pour recevoir tous ceux et celles qui se présentaient : professeurs, élèves, parents. « Tout hôte qui survient sera accueilli comme le Christ... » (*Règle*, chap. 53).

L'essentiel

Il y aurait encore beaucoup à dire à propos de l'influence de Benoît dans ma vie. Entre autres petites merveilles, les lignes consacrées au rôle de l'abbé du monastère.

Avant tout, [l'abbé] se gardera de négliger ou de faire passer au second plan le salut des âmes qui lui sont confiées, réservant sa sollicitude aux intérêts transitoires et terrestres, et caducs, mais toujours il prendra conscience que c'est des âmes qu'il a assumé la conduite, des âmes aussi dont on lui demandera compte (*Règle*, chap. 2).

Voilà une préoccupation qui n'apparaît nulle part au programme de la maîtrise en administration scolaire! « Les intérêts transitoires, et caducs », y occupent toute la place. Pourtant, nos enfants auraient bien besoin d'écoute.

L'écoute

Le prologue de la Règle m'a toujours impressionné : « Écoute, mon fils, les préceptes du maître et tends l'oreille de ton cœur. » Dans un monde qui se dit « monde des communications », jamais n'a-t-on connu autant de solitudes : solitude des jeunes abandonnés à eux-mêmes, des femmes délaissées, abandonnées avec leurs enfants, solitude des personnes âgées, des malades... On parle beaucoup mais on écoute peu. Saint Benoît a voulu qu'à l'origine même de toutes choses on écoute, et que cette écoute soit celle du cœur : « Tends l'oreille de ton cœur. » Il y a toutes sortes de façons d'écouter : l'écoute distraite des mondains, l'écoute intéressée des vendeurs, l'écoute sourde des fanatiques, et tant d'autres. De nouveaux « ministères » sont nés de ce besoin d'écoute : songeons seulement à toutes ces lignes de téléphone hospitalières, souvent dernier recours des grands désespérés : Tel-Aide, Grossesse-Secours, Suicide-Action, Déprimés Anonymes, etc. « Tends l'oreille de ton cœur. »

En guise de conclusion

J'ai déjà dit ce que je pensais de la dichotomie catéchèse-enseignement religieux. Réduire l'appel radical de l'Évangile à quelques cours donnés en dehors d'un milieu de vie imprégné de la présence du Christ confine à la plus stérile naïveté! Les jeunes vivent six heures par jour à l'école. Pendant ce temps, ils apprennent, pour une bonne part, à donner un sens à leur vie. Refuser à des parents la possibilité même de choisir — au secteur public — une école qui, comme nos compatriotes de religion juive l'ont demandé, transmettrait « les valeurs et les croyances religieuses sur lesquelles leur vie est fondée », constitue un véritable déni de justice et de respect des droits les plus fondamentaux. Il est des silences coupables.

Ignace et Benoît nous ont fait connaître Jésus Christ et appris que le feu qu'il est venu allumer sur la terre peut très bien être à la fois « le feu de la colère et le feu de l'amour[63] ».

Je me suis beaucoup battu et je me bats encore, mais j'ai, aussi, beaucoup aimé. J'ai aimé des êtres puissants et des êtres doux. J'ai appris que la véritable douceur est, aussi, force. La tiédeur m'a toujours répugné : cette moiteur de l'âme, comme toutes les moiteurs, fait moisir tout ce qu'elle enveloppe.

---

[63] H. U. von BALTHASAR, *op. cit.*, p. 28.

Jude Saint-Antoine est né à Montréal en 1930, dixième enfant d'une famille de treize. Il est ordonné prêtre en 1956 pour le diocèse de Montréal. Il entreprend une carrière en éducation, ponctuée par des études en sciences de l'éducation à l'Université de Montréal, de même qu'en théologie spirituelle à l'Université Grégorienne de Rome. Il a été successivement enseignant, animateur de pastorale, curé de paroisse, vicaire épiscopal. En 1981, il est nommé évêque auxiliaire à Montréal.

Membre du Comité catholique du Conseil supérieur de l'éducation, il siège à plusieurs comités épiscopaux. Il est pendant plusieurs années directeur du personnel pastoral et du ressourcement spirituel des prêtres. Il demeure un conférencier spirituel très apprécié.

Jésus Christ dans ma vie

Tout au long de mes soixante-dix ans, Jésus Christ a été présent. Aujourd'hui, dans un seul regard, je cherche à en découvrir les traces imprimées dans ma mémoire, de la tendre enfance à l'adolescence et de l'âge adulte à l'entrée dans la vieillesse.

D'aussi loin que je me souvienne, depuis les premières lueurs de ma conscience, le nom de Jésus a retenti plus d'une fois à mes oreilles d'enfant. Ce nom, sorti de la bouche de mes parents, je l'ai prononcé dans ma prière du matin : « Mon Jésus, je vous donne mon cœur, prenez-le aujourd'hui… » Ce nom, je l'ai invoqué dans la prière du soir du chapelet en famille. C'est bel et bien le nom de Jésus que papa disait à genoux dans sa prière, avant de quitter le foyer pour le bureau. Jamais je n'ai ressenti de contrainte dans cet éveil de la foi, fait de paroles et de gestes si vrais et si naturels.

Cette initiation chrétienne s'est poursuivie à l'école par des maîtres religieux et laïques qui ont marqué ma jeunesse. Je me souviens de cette petite femme qui préparait ses élèves à la première communion. Elle nous invitait à demander à Jésus trois grâces particulières. Dans mes mots d'enfant, j'ai redit longtemps ces trois demandes exprimées dans la ferveur de mes jeunes années.

Cette intimité avec Jésus, dans l'eucharistie quotidienne, m'a permis de différencier le bien du mal. Elle m'a procuré une force intérieure pour suivre ma conscience en plein éveil. J'ai alors éprouvé le goût de rencontrer cet ami comme un être vivant à qui je pourrais parler et confier mes plus grands secrets.

Dès l'âge de dix ans, avant le lever du jour, je bondissais de mon lit avec cette parole à la bouche : « Me voici, Seigneur, je viens faire ta volonté. » Cette phrase était inscrite sur une image cueillie à une exposition missionnaire. Je la redis encore chaque matin, en m'éveillant. Je partais alors dans la nuit froide de l'hiver, servir la messe à l'église paroissiale Saint-Nom-de-Jésus de Maisonneuve. Je revenais ensuite prendre le petit-déjeuner à la maison avant de quitter pour l'école. Quelle joie et quelle fierté, pour un jeune de mon âge, de servir à l'autel, particulièrement le dimanche, au son des grandes orgues et du chant des chorales. Ces moments privilégiés m'initiaient au mystère d'un Dieu si grand et si proche à la fois.

Il me plaît de me rappeler les années de l'adolescence dans la nouvelle maison familiale située à Pointe-aux-Trembles, sur les rives du grand fleuve. Face à la magie de ses eaux et à la force de ses torrents aux couleurs du firmament, il m'a été facile de communier à la beauté de son Créateur. Cette découverte de Dieu dans la nature s'est prolongée tout au long des vacances d'été, sur la terre paternelle, occupée par mes ancêtres depuis plus de cent ans, au Grand-Bois-Blanc, à Saint-Justin.

J'en ai fait des découvertes, pour un petit gars de la ville initié au travail des champs et aux mille occupations quotidiennes de la ferme en compagnie de mes tantes, de mon oncle et de mes cousins et cousines! Comment ne pas être étonné et interpellé par autant de générosité et de gratuité? À travers ces personnes qui ont hérité d'une longue tradition paysanne d'accueil, de courage et de labeur, je discernais l'amour de papa et de maman, de mes frères et sœurs, et le témoignage de la tendresse divine.

Dieu se fait de plus en plus présent. Je le découvre dans mes proches qui sont « à son image et à sa ressemblance ». Je le retrouve aussi au fond de moi quand je cherche à vivre avec lui une amitié toujours plus vraie et profonde. En cet ami, je rencontre le Seigneur de l'Évangile, le Fils du Père, l'Homme-Dieu mort et ressuscité : « Il m'a aimé et s'est livré pour moi. » Jésus Christ me comble de ses dons et m'invite à être avec lui un fils bien-aimé du Père.

Conscient déjà de mes fragilités et de mes limites personnelles, je les confie au Seigneur dans le sacrement du pardon. Je cherche à répondre à ses appels dans la confiance que je témoigne à mes maîtres tout au long de mes études secondaires à l'externat classique Sainte-Croix et au collège de l'Assomption.

Ces éducateurs qui sont prêtres m'enseignent les rudiments de la langue et de l'écriture. Grâce à eux, je découvre les trésors de l'art et de la littérature. Ils m'apprennent à penser, à raisonner et à juger. Cet apprentissage ponctué d'efforts et de travail quotidien me permet d'être à l'écoute des hommes et des femmes qui font œuvre d'humanisation. À travers eux, le Verbe de Dieu se manifeste et me rejoint au plus profond de mon être. À ces éducateurs qui ont suscité en moi l'étonnement, l'émotion et la passion, j'exprime aujourd'hui toute ma reconnaissance.

Après un long cheminement fait de résistances, de reculs et de reprises, je me rends finalement à celui qui n'a jamais cessé de m'accompagner. Je réponds à son appel à la prêtrise. Bien sûr, il y a eu des difficultés à vaincre, des seuils à franchir, des épreuves à surmonter. Je pense particulièrement à ce que j'ai vécu à quinze ans, à la mort de mon père, aux questions suscitées par cette rupture à un âge où on souffre souvent sans trouver de réponse. Quelques mois avant son départ, papa m'avait dit : « Il ne faut pas t'arrêter en chemin, il faut aller jusqu'au bout de ce que tu entreprends. » Ces propos ne m'ont jamais quitté, pas plus que l'admiration et l'affection que je lui vouais. J'ai donc terminé les huit années d'études classiques pour entrer ensuite au Grand Séminaire de Montréal, en septembre 1952.

L'étude de la théologie suit la première approche rationnelle. Elle s'appuie sur la Parole de Dieu qui s'adresse à moi par l'entremise de Jésus Christ. J'ai personnellement fait l'expérience de la profondeur de son message à travers les signes vivants de salut laissés à son Église. Ces quatre années à l'intérieur des vieux murs du séminaire, propices au silence, à la réflexion et à la prière, m'ont donc permis de vivre un long moment de maturation spirituelle. Durant cette période, des hommes de Dieu ont été mis sur ma route pour m'enrichir et me faire partager leurs expériences. À travers les différentes étapes des ministères, ces années m'ont finalement conduit à l'ordination presbytérale. Ainsi, à l'église Saint-Enfant-Jésus de Pointe-aux-Trembles, où tant de fois j'avais entendu l'appel du Christ, le cardinal Paul-Émile Léger m'a imposé les mains. C'était le 31 mai 1956, à la fête de la Visitation de la Vierge Marie, qui coïncidait cette année-là avec la fête du Saint-Sacrement. Ce jour-là, avec la mère de Jésus, j'ai chanté : « Dans la joie et la simplicité de mon cœur, je t'ai tout donné, Seigneur. »

Après un an de travail en animation étudiante au collège de l'Assomption, je reçois de l'évêque la mission d'œuvrer au sein de la première équipe de fondation du collège Saint-Paul qui deviendra, en 1968, le cégep Bois-de-Boulogne. Quelle marque de confiance de confier la responsabilité de fonder un collège à trois jeunes prêtres, encadrés par quelques éducateurs d'expérience! J'y ai reconnu l'initiative du Seigneur qui éprouvait ma foi et mes dons personnels.

Durant quatre années, du matin au soir, je me suis donné totalement à la mission confiée. À vingt-cinq ans, je vivais donc une expérience unique et je relevais un défi marquant. Je me suis investi dans ce projet avec un grand amour pour les jeunes et le Christ, mais aussi peut-être avec un brin de naïveté. Après sa concrétisation, le Seigneur s'est chargé de me tracer le chemin. Il m'a accordé un temps de ressourcement en théologie spirituelle à l'université Grégorienne de Rome. Dès le départ, je me suis vu proposer une recherche doctorale passionnante : l'étude des lettres spirituelles de Paul Ragueneau. Ce disciple de Louis Lallemant œuvrait comme missionnaire auprès des Hurons et vivait dans l'entourage de Marie-de-l'Incarnation, Catherine-de-Saint-Augustin et Jean de Brébeuf. La fréquentation de ces âmes de feu par l'étude de ses lettres adressées aux Ursulines de Québec, après son retour en France, m'a plongé dans une épopée de ferveur mystique.

Paul Ragueneau m'a vite rejoint par son équilibre, sa pensée vigoureuse exprimée dans des mots simples qui vont droit au cœur. Ce maître spirituel touche à tous les aspects de la vie mystique. Par lui, c'est encore Jésus Christ qui me parle et m'invite à « aller au large » : « Agissez toujours dans l'ouverture de votre cœur avec une simplicité d'enfant, vous abandonnant à Dieu, vous confiant en Dieu et vous assurant qu'il vous conduira à la vraie sainteté. »

Après un séjour de deux ans en Europe, à l'époque du concile, riche en expériences humaines et spirituelles, je poursuis ma mission au pays. Je partage alors mon temps entre l'enseignement et des études en vue de l'obtention d'une licence en sciences de l'éducation. Très vite, je constate les changements de mentalité chez les étudiants qui participent à la révolution tranquille et au phénomène de sécularisation. Il n'est plus aussi évident de leur « imposer » le trésor de la foi. Dans ce nouveau contexte, la pratique de la liberté religieuse et du dialogue pastoral, promus au concile, est de mise. En petits groupes, je propose donc aux étudiants des partages sur les évangiles et des actions sociales et caritatives dans des milieux défavorisés. Pour ceux qui en ressentent le besoin, je célèbre une eucharistie prolongée souvent par une homélie partagée. Quels que soient les changements de structures, uni à mon évêque, je construis encore et toujours l'Église du Christ. Il y a d'ailleurs encore beaucoup de joie à être prêtre et à témoigner de Jésus.

Vingt ans avec les jeunes et autant d'années de ministère dominical en paroisse m'incitent à vivre, comme curé, l'expérience d'une communauté chrétienne. Je conserve le souvenir émouvant des paroissiens de Saint-Benoît qui m'ont accueilli, en 1975, et que j'ai dû quitter à regret quelques années plus tard pour répondre à un appel de l'évêque. En effet, en septembre 1978, monseigneur Paul Grégoire m'invite à devenir vicaire épiscopal de la région Centre, une toute nouvelle mission à inventer.

Cette nomination est suivie par un appel inattendu du pape Jean-Paul II à la charge d'évêque auxiliaire de Montréal. À monseigneur Grégoire qui se fait l'interprète du pape, je dis simplement : « Vous connaissez sans doute mes qualités et mes limites. Avec le Christ qui a toujours été présent pour moi et m'a donné d'être heureux partout où j'ai servi, j'accepte d'être évêque. » Le 22 mai 1981, à la cathédrale de Montréal, au milieu des miens et de toute la communauté diocésaine, je reçois la plénitude du sacerdoce en devenant successeur des Apôtres.

En apprenant la nouvelle de mon élection à l'épiscopat, ma mère a pleuré. Toujours lucide à quatre-vingt-cinq ans, elle préparait la célébration de mes vingt-cinq ans d'ordination sacerdotale. Dans la joie, entourée de ses enfants et de ses petits-enfants, maman a vécu pour une dernière fois cette fête familiale. Dans la paix, elle pouvait partir. C'était son *Nunc dimittis*. Elle nous a quittés quelques jours plus tard.

Mystère de Pâques, mystère de vie et de mort! En ces années fécondes en fruits de toutes sortes, des parents tendrement aimés me sont cruellement enlevés. Ce mystère me prépare sans doute à ma nouvelle mission d'évêque, avec ses responsabilités toujours plus grandes, ses fardeaux toujours plus lourds, aussi bien au diocèse qu'à la Conférence et à l'Assemblée des évêques. Je prends part à des comités et à des commissions. Il y a des dossiers à étudier, des décisions à prendre, tant à l'Office de catéchèse du Québec qu'au Comité catholique du Conseil supérieur de l'éducation. Ces tâches sont accomplies sans préjudice de ma responsabilité de vicaire épiscopal, exercée jusqu'en septembre 1990.

À partir de ce moment, avec l'arrivée du nouvel archevêque, monseigneur Jean-Claude Turcotte, j'assume la direction de l'Office du personnel pastoral, une tâche passionnante qui dévore mon temps et mes énergies durant huit ans. Je suis alors plongé au cœur de la mission pastorale de centaines de prêtres, de diacres et d'agents et agentes de pastorale. Ceux-ci vivent en première ligne avec le peuple de Dieu le phénomène de la sécularisation et de la diminution des effectifs. Avec eux, je partage les joies et les souffrances de la mission. Il n'est toutefois pas facile d'être totalement présent à leur engagement, sans être moi-même touché et parfois blessé jusque dans ma chair.

En octobre 1997, au lendemain de mes soixante-sept ans, je suis victime d'un infarctus du myocarde suivi de quatre pontages coronariens. Pour la première fois de ma vie, je dois m'arrêter et m'abandonner, non sans un dur combat, à la volonté de Dieu, le seul maître de la vie. En ces jours d'épreuve, la grâce me visite. Elle m'apporte une plus grande compréhension des autres, plus de disponibilité pour les accueillir et une ouverture au mystère de la croix.

Dans ce nouveau cadre de vie, je continue à soutenir mes confrères, à leur offrir accompagnement et ressourcement spirituel. De concert avec le Grand Séminaire, je participe également à l'évaluation des étudiants. Je préside aussi quelques ordinations et je réponds avec empressement aux invitations qui me sont adressées par les paroisses et les communautés, particulièrement pour la célébration de la confirmation qui appartient au ministère ordinaire de l'évêque.

Il me plaît aussi d'être présent, comme je l'ai toujours été, aux événements familiaux : baptêmes, mariages, funérailles, qui se multiplient avec les années. Il s'agit de la part d'affection et de service apportée aux miens. Je témoigne également ainsi de ma foi à mes frères et sœurs encore vivants, à leurs époux et épouses, à mes quarante neveux et nièces et aux quatre-vingts petits-enfants qui composent la famille Saint-Antoine.

Aujourd'hui, conscient de ma fragilité et de mes limites humaines, j'accepte plus volontiers de ralentir mon rythme. À travers les engagements pastoraux qui me font vivre, je donne plus de place à l'exercice physique, à la marche au grand air, dans la montagne parfois, à des lectures gratuites, à l'écriture, au silence et à la prière.

J'apprends lentement à me détacher de moi-même et des choses qui m'entourent. Je prends le temps de rencontrer plus longuement les personnes que j'aime : les membres de ma famille, mes confrères de collège et de séminaire, dont certains sont demeurés de vrais amis. Je les présente au Seigneur dans mon eucharistie quotidienne.

Voilà en quelques pages ce qui compose l'essentiel de ma vie et qui me comble toujours de paix et de joie. Puisse ce témoignage d'un pasteur, au crépuscule de sa vie, convaincre les jeunes de ce qui a pu le faire vivre : le bonheur de donner au Christ les prémisses de ses vingt ans, en toute liberté et discernement, pour répondre à son appel « d'aller au large » et de bâtir avec lui un monde plus beau et plus humain.

Le Christ Jésus m'a aimé, appelé et soutenu. Il a toujours été présent pour moi. Il m'a permis de « grandir en Église » avec tous ceux et celles qu'il a placés sur mon chemin.

Table des matières

AGMV Marquis

MEMBRE DE SCABRINI MEDIA

Québec, Canada
2003

Printed in Canada